마지막 성도
The Final Ecclesia

KAM(Kingdom Army Ministry)은 세상에 깊이 뿌리 내린 나무가
예수 그리스도의 심장으로 새롭게 심겨져 모든 열방 가운데 성령의 열매를 맺는
하나님 나라 군대로 일어나기를 소망합니다.

마지막 성도 The Final Ecclesia

초판 발행   2012년 3월 5일
1판 2쇄 발행   2012년 3월 19일

지은이   데이비드 차
펴낸이   이선희
펴낸곳   도서출판 케이에이엠
　　　　　138-960 서울특별시 송파구 문정동 가든파이브
　　　　　라이프 테크노관 4층 T4146호
전화   070-7885-1880
팩스   02-6455-0698
이메일   contact@kambooks.com
홈페이지   www.kambooks.com

책임편집   심효선
디자인   조은하, 임희재, 문하운
총판   예영 커뮤니케이션 02-766-7912

출판등록   2011. 2. 24 (제324-2011-000009호)
ISBN   978-89-967679-0-9
정가   12,000원

Copyright ⓒ 2012 David Cha

마지막 성도

데이비드 차

The
Final
Ecclesia

KAM

"Fight the good fight of the faith"
믿음의 선한 싸움을 싸우라
디모데전서 6:12

이 책을 시작하며 . . .

    『마지막 신호』라는 책을 출간한지 2년의 시간이 흘렀다. 그리고 그동안 전 세계는 하나님의 시간표에 맞춰 많은 변화가 진행되었다. 2011년 한 해 동안 튀니지를 시작으로 이집트, 리비아, 예멘, 바레인, 요르단, 시리아의 권력층이 바뀌었다. 중동에서는 지배 질서가 새롭게 재편성되고 있으며, 미국과 유럽은 국가신용등급강등이라는 초유의 사태를 맞이하게 됨으로써 세계경제의 거대한 항공모함이 가라앉기 시작했다. 또한 일본을 덮친 강력한 쓰나미로 원자력 발전소가 붕괴되었다. 이러한 세계적인 변화의 바람은 북한으로까지 이어져 김정일의 죽음으로 인한 강력한 권력의 변화를 맞이하게 되었다. 이러한 상황 속에서 달러화와 유로화의 붕괴는 세계 경제 시스템을 무너뜨리고 있다. 이에 따라 세계 주요 지도자들은 '신세계질서'(New World Order)로의 변화만이 경제 붕괴를 극복할 대안이라고 서슴없이 말하고 있다.

신세계질서를 만들어 가는 엘리트들이 지배하는 서방의 메이저 언론들은 이 모든 변화의 궁극적 목적에 대하여 대중들에게 정확하게 보도하지 않고 있다. 따라서 우리는 오늘날 세계에서 일어나고 있는 다양한 사건들의 본질을 알고 싶을 때 신문이나 뉴스의 정보만으로는 진실을 알 수가 없다. 역사의 진실을 말해주는 퍼즐 조각들은 전 세계 곳곳에 흩어져 있고 이 퍼즐들을 바르게 맞출 때에 비로소 역사의 진실을 알 수 있다.

이러한 세계정세를 바르게 알기 위한 중요한 축이 있는데, 그 축은 바로 성경이다. 성경은 다가오는 인류 역사의 종말이 어떤 모양으로 전개될 것인지 말해주고 있다. 또한 이기는 자들에게는 하나님 나라를 유업으로 얻게 될 소망에 대하여 기록하고 있다.

1948년 5월 14일, 이스라엘이 2000년 역사를 넘어 성경에 기록된 대로 다시 회복 되었다. 실제로 그 당시 영토를 지배했던 국가가 이천 년 만에 그 국권을 회복시킨 사건은 역사상 전무후무하다. 이것은 성경에 기록된 대로 국제사회의 다양한 이해관계 속에서 '신묘막측'하게 이루어진 것이었다.

> 내가 너희를 열국 중에서 취하여 내고 열국 중에서 모아 데리고
> 고토(故土)에 들어가서 개역한글, 에스겔 36:24

우리는 성경의 예언이 이루어지고 있는 현실을 실제로 목격하는 시대에 살고 있다. 다시 말하자면 우리는 하나님의 시간표에 따라 살아가고 있는 것이다. 역사란 무엇인가? 역사는 영어로 'History'이다. 바로 'His Story' 하나님의 이야기이다. 성경의 모든 말씀은 하나님의 인류 회복의 계획을 담고 있다. 하나님은 말씀으로 온 천지를 창조하시고 질서를 정하셨다. 그리고 하

나님은 한 사람을 택하시고, 그의 속에 하나님의 거대한 뜻을 이룰 씨앗을 심으셨다. 원수 사단도 자신의 뜻을 이루기 위해 사람에게 자신의 씨앗을 심었다. 하지만 하나님과 사단은 태생적 차이를 갖고 있다. 사단은 이미 창조된 것 가운데 무질서함과 모방으로 하나님의 영광을 가로채는 태초의 거짓말의 아비이다. 성경의 창세기 1장에는 하나님께서 '우주의 물리적 제1원인'임이 선언되어 있다.

태초에 하나님이 천지를 창조하시니라 창세기 1:1

따라서 회복과 역사의 발전은 오직 하나님의 계획을 통해서만 이루어지는 것이다. 필자는 미국 여행 중 뉴욕에서 잠시 휴식을 취하고 있던 중에 꿈을 꾸게 되었다. 꿈에 보이는 장면은 마치 은하계의 탄생의 순간처럼 보였다. 모든 것이 흑암으로 덮여 있는 순간, 강력한 생명력을 가진 빛이 탄생하였다. 그리고 시간이 흘러 어느 순간부터 에너지는 무질서한 형태로 무한 팽창하기 시작했다.

열역학 제2법칙은 열이 운동에너지로 바뀌는 과정에서 무질서한 형태로 바뀌는 에너지의 손실을 말하며, 이때의 에너지 손실을 '엔트로피의 증가'라고 부른다. 이 엔트로피의 증가로 인해 무질서와 혼란의 양이 계속적으로 증가하고, 따라서 우주 안의 모든 에너지 이동은 지속적으로 무질서한 형태로 증가하게 된다. 그런데 이 무질서한 형태에서 질서 있는 상태로 변화되려면 외부로부터 에너지 공급이 있어야만 가능하다.

이 때 필자는 지구 안에 있는 작은 생명의 빛들을 보게 되었다. 그 빛이 너무 약해 그 자체만으로는 도저히 주변을 환히 밝힐 수 없을 만큼 미

약해 보이는 '생명의 빛'이었다. 이 빛은 심령이 가난하여 하늘소망을 품고 기도하는 자들이었다. 그 촘촘한 빛들이 때가 되자 온 열방 가운데 하나님 나라로부터 에너지를 공급받게 되어 일시에 강력한 빛을 발산하였고 이 영향으로 엔트로피의 증가는 감소되어 온 세계를 다시 창조의 형태로 회복시키고 있었다.

이 땅의 문명에는 자연스럽게 무질서한 혼돈과 죄악이 범람한 엔트로피의 법칙이 적용된다. 그러나 하나님의 나라를 소망하는 기도의 손은 강력해 보이는 '이 세상 임금'인 사단의 정부를 무너뜨릴 것이다. 왜냐하면 이 전쟁에는 하나님이 개입하시기 때문이다. 그리고 성도들의 기도, 눈물, 순교의 피가 하늘 보좌의 대접에 차면 하나님께서 개입하심으로써 이 땅이 회복되는 '디-엔트로피의 시대'가 열릴 것이다. 이것이 바로 하나님 나라의 회복이다.

하나님은 은하계를 통해 하나님 나라의 놀라운 비밀을 숨겨두셨다. 태양과 달이 그러하다. 태양은 스스로 빛을 내고, 달은 그 빛을 반사한다. 이와 같이 하나님은 '스스로 빛을 내시는 분'이시며 인간은 그분의 말씀으로부터 오는 빛을 공급받아 그 빛을 반사하는 '반사체'이다. 태초에 인간은 하나님의 말씀으로 새로운 에너지를 공급받아 그 빛을 흑암이 가득한 세상 가운데 공급하도록 창조되었다. 그래서 사단은 그 빛을 싫어하여 암흑으로 덮으려고 하는 것이다. 그러나 성경에는 '어두움이 빛을 이기지 못하더라'고 기록되어 있다.

또한 이 땅은 물리적인 공간에 속해 있다. 그리고 영이신 하나님께서 영적 에너지를 이 땅 위에 공급하시려면, 그 영적 피조물이 통로가 되어야 할 것이다. 따라서 인간은 무질서와 흑암이 가득한 이 땅 가운데에 하나님의 빛을 공급하는 '통로의 역할'을 하는 존재이다.

그래서 그 빛을 통해 많은 자들을 옳은 데로 인도하는 자는 하늘의 별과 같이 빛나는 영광을 얻게 되는 것이다. 그런데 그 반사체인 인류가 스스로 빛을 내려고 교만해진다면 어떻게 되겠는가. 그것은 바로 하나님의 빛을 모방하는 '사단의 발광체'가 되는 것이다.

많은 사람들이 자기 사랑에 빠져 진정한 사랑의 의미를 잃어가고 있다. 그러나 성경은 온전한 사랑을 경험할 때 두려움에서 자유롭게 된다고 기록하고 있다. 사단의 전략을 연구하고 있으면 사단의 치밀한 전략 앞에 두려움을 경험할 수 있다. 그러나 우리가 사실 이 모든 것이 하나님의 말씀, 즉 성경의 기록대로 이루어짐을 확인하는 순간, 놀랍게도 완전하시고 전능하신 하나님의 위대한 지혜 앞에서 새 힘을 얻게 될 것이다.

우리가 살고 있는 이 마지막 시대에 우리는 위대한 부르심 앞에 서 있다. 많은 이들이 육신의 정욕과 안목의 정욕, 이생의 자랑으로 가득찬 넓은 길로 가는 이러한 때에, 우리는 날마다 자기 부인을 통해 '나는 죽고 예수 그리스도만 사는 길'인 좁은 길로 가야 할 것이다. 그러할 때에 우리의 육신은 날로 후폐해지나 내 속의 영은 더욱 강건해지는 역사가 일어날 것이며, 신랑 되시는 예수 그리스도에 대한 온전한 사랑이 죽음마저 이기는 사랑으로까지 이어질 것이다. 그리고 이 사랑이 온 열방으로까지 퍼져, 다시 오실 주의 길을 예비하는 '하나님 나라 군대'가 일어나길 간절히 소망한다. 예수 그리스도의 참된 제자는 세상을 사랑하는 '두 마음'을 품은 자가 아닌, 본향인 하나님 나라를 사랑하는 순결한 자이다.

필자는 이 책이 오늘날 이 시대의 하나님의 전략과 사단의 전략을 확인할 수 있는 도구가 되길 바란다. 따라서 이 시대가 하늘의 뜻이 이 땅에 이뤄지는 시대임을 바로 알고, 하나님 나라가 회복되기 위한 전략을 확인하여 개개인의 삶이 성령 안에서 새롭게 재조정되길 원한다. 그렇게 될 때 우리는 원수의 목전에서 상을 받는 강력한 하나님 나라의 군대로 무장되어 나아가게 될 것이다.

세계 역사의 마지막 날은 모든 것이 끝이 나고 없어지는 날이 아니다. 그 날은 온 세상이 새로워지는 날이다. 많은 자들이 그 날을 '마지막 때'(End-time)라 이야기하지만, 사실은 하나님 나라(kingdom)가 도래하는 날이다. 믿는 자들에게는 소망의 시대가 오는 것이다.

따라서 이 책을 통하여 우리 모두가 다가오는 적그리스도의 총체적인 공격을 분명하게 인식할 뿐만 아니라, 강력한 환란의 시기에 하나님 나라를 바라보는 믿음의 시력을 갖춘 '끝까지 이기는 자의 삶'이 되길 원한다. 또한 이러한 거룩한 부르심을 따라서 아름다운 신부, 강력한 군사, 마지막 성도로서 단장되는 우리가 되기를 간절히 소망한다.

2012년 2월

열방 가운데 하나님 나라 군대가 일어나길 기대하며

David cha

평화의 이름으로 다가오는 세계정부

1985년, 미국의 유명 팝가수 21명이 모여서 만든
USA 4 Africa라는 프로젝트 그룹이 평화를 소망하는 마음을 담아 노래를
발표하였다. 마이클 잭슨과 라이오넬 리치가 작사·작곡한 이 노래를 듣고
있으면 누구나 인류애를 느끼게 된다. 가사는 다음과 같이 시작한다.

〈 We Are the World : 우리는 하나의 세계 〉

There comes a time when we hear a certain call.

어떤 부름에 귀 기울일 때가 왔습니다.

When the world must come together as one.

세계가 하나로 뭉쳐야 할 때입니다.

There are people dying. Oh, And it's time to lend a hand to life.

어디선가 죽어가는 이에게 삶의 손길을 빌려주어야 할 때입니다.

The greatest gift of all.

모든 것 중에서 가장 위대한 선물을 말이에요.

We can't go on pretending day by day.

우리는 매일 매일 그냥 지나칠 수만은 없습니다.

That someone somewhere will soon make change.

누군가 어디에선가 곧 변화를 일으키겠지 라고 모른 체 하면서,

We're all a part of God's great big family.

우리는 하나님의 위대함 앞에서 큰 가족입니다.

And the truth you know love is all we need.

당신이 진실을 알고 있듯이, 지금 우리에게 필요한 것은 사랑 뿐입니다.

We are the world, we are the children.

우리는 하나의 세계이며, 우리는 하나님의 자녀입니다.

We are the ones who makes a brighter day.

우리는 함께 밝은 미래를 만들어가야 할 사람들입니다.

노랫말에는 이 땅의 죽어가는 많은 이들에게 우리의 사랑이 필요하고 우리 모두가 하나님의 자녀들임을 깨달아 서로 사랑으로 연합해야 한다는 좋은 의미를 담아, 자연스럽게 '하나의 세계'를 노래하고 있다. 그렇다면 이 노래의 다음 가사를 자세히 살펴보자.

As God has shown us **by turning stone to bread.**
하나님께서 돌이 빵으로 바뀌는 기적을 보여주셨듯이
And so we all must lend a helping hand. We are the world.
이제 우리가 구원의 손길을 보내야 합니다. 우리는 하나의 세계입니다.

이 가사를 듣고 있으면 너무 평화적이고 강한 인류애가 느껴진다. 그리고 사람들은 자연스럽게 '우리는 하나의 세계'라는 전 지구적 공동체 의식을 갖고 서로 사랑해야 한다는 것을 기독교적 가치관이라 여기게 된다. 그러나 이 노래 가사와 관련된 하나님의 말씀이 무엇인지 잠시 살펴보도록 하자.

그 때에 예수께서 성령에게 이끌리어 마귀에게 시험을 받으러 광야로 가사 사십 일을 밤낮으로 금식하신 후에 주리신지라 시험하는 자가 예수께 나아와서 이르되 네가 만일 하나님의 아들이어든 명하여 이 돌들로 떡덩이가 되게 하라 예수께서 대답하여 이르시되 기록되었으되 사람이 떡으로만 살 것이 아니요 하나님의 입으로부터 나오는 모든 말씀으로 살 것이라 하였느니라 하시니 마태복음 4:1-4

예수께서는 40일 금식을 마치시고 사단에게 시험을 받으신다. 돌들로 떡 덩이가 되게 하라는 것은 사단의 유혹이었지, 예수께서 행하신 기적이 아니었다. 오히려 예수께서는 그 사단의 유혹과 시험을 말씀으로 "사람이 떡으로만 사는 것이 아니요, 오직 하나님의 말씀으로 산다"라 대적하시며 물리치셨다.

그러나 세계는 하나라고 외치며 평화를 감미롭게 전달하는 이 노랫말에는 뱀이 담을 넘듯 그렇게 하나님의 말씀을 왜곡시키고 있다. 이것이 오늘날 세계 평화를 주장하는 영적 세력의 본질이다.

오늘날 세계는 노아의 홍수 이후 바벨탑을 지으며 하나님을 대적하던 때와 같이 다시금 하나로 연합하자고 외치고 있다. 그 중심에는 항상 평화라는 그럴듯한 목표가 있다. 그러나 아쉽게도 이 땅에서 인간들이 진행하는 평화의 중심에는 참 평화의 왕이신 예수 그리스도가 빠져 있다.

콜럼비아대학 교수인 제프리 삭스(Jeffrey Sachs)가 쓴 『빈곤의 종말』이라는 책과 뉴욕타임즈 칼럼니스트인 세계적인 국제전문가 토머스 L. 프리드먼이 쓴 『렉서스와 올리브나무』라는 책이 있다. 세계화와 세계단일시장, 궁극적으로 세계정부를 주장하는 이러한 부류의 책은 다음과 같은 논리적 전개를 하고있다.

신은 인류에게 충분히 먹고 누릴 수 있는 자원을 주셨습니다. 그러나 그 자원은 전 세계에 흩어져 있습니다. 오늘날 인류는 국가와 민족이라는 개념 하에 무수한 자원을 이기적으로 활용함으로써, 결국 전 세계 인구의 1/3이 굶주림에 시달리게 되었습니다. 이러한 비극은 신의 의도가 아닙니다. 다만 이것은 인간이 '국가와 민족'이라는 이름으로 자원을 독점함으로써 시작된 인류의 비극입니다. 그리고 오늘날 전 세계가 직면하게 된 이와 같은 문제는 더 이상 개별 국가의 지도자가 해결 할 수 없는 수준의 문제로 제기되었습니다. 전 세계적인 환경문제, 금융위기, 식량위기 등으로 이제 세계적 차원의 의사결정을 효과적으로 집행할 수 있는 새로운 수준의 정치체제가 요구되고 있습니다. 이제 '민족, 국가'라는 개념을 뛰어넘어 우리 모두는 하나의 지구라는 공통된 행성에 살아가는 '지구공동체'라는 의식의 확장이 필요합니다. 나아가 세계인으로서 '열린 애국주의'가 필요한 때입니다.

오늘날 기술의 발전과 경이로운 부(富)의 축적으로 말미암아 우리 앞에 엄청난 기회가 놓여있습니다. 바로 지금이 오늘날 지구상에 존재하는 끔찍한 빈곤을 끝낼 절호의 기회입니다.

_제프리 삭스

여기까지 생각해 보면 열린 애국주의는 너무나 좋은 것 같이 들린다. 그렇다면 한 걸음 더 나아가 보자. 이들은 세계의 지속 가능한 통합과 유지를 위해 정치적 통합, 경제적 통합, 과학기술의 통합을 진행하고 있다. 나아가 종교적 통합이 반드시 필요하게 된다. 전 세계는 수많은 종교가 있다. 그런데 많은 인류사의 전쟁에는 종교적 갈등으로부터 시작된 사례가 많이 있었다. 또한 21세기에도 역시 종교적 갈등이 내재된 이스라엘과 중동간의 갈등이 있다. 따라서 이들은 종교가 반드시 통합되어야 지속 가능한 평화가 유지될 수 있다는 결론을 맺고 있다.

이들은 인류 역사에서 모든 종교는 공통적으로 신의 존재를 믿고 있음을 발견하였다. 그리고 오랜 문화적 차이로 인하여 인류는 각기 신에게 나아가는 다양한 방법을 사용하게 되었고, 이것이 다양한 종교로 표현된 것일 뿐이라고 말하고 있다. 따라서 이들은 모든 종교는 더 이상 타 종교를 비방하지 말고 서로 이해하며 우리 모두 '같은 하나님 아래 하나의 가족'이라는 사상을 받아들여야 하며, 이를 확산시켜서 더 이상 서로 간에 종교적인 갈등이 일어나지 않도록 하자는 것이다.

이 주장은 매우 그럴듯해 보인다. 그래서 오늘날 UN은 국제종교(Inter Religion), 국제신앙(Inter Faith)이라는 애매한 단어를 사용해가며 전 세계에 종교통합운동을 진행하고 있다. 또한 통일교는 '하나님 아래 한 가족'(One Family under God)을 전면에 내세우며 전 세계 종교통합운동의 일부를 담당하고 있으며, 토니 블레어 전 영국 수상은 영국종교통합기구를 창설하여 열심히 활동하고 있다. 이러한 때에 기독교의 성경적 진리가 종교를 통합하는 자들에게는 가장 방해가 되는 요소로 작용하고 있기 때문에, 기독교 그 자체는 점차 불법화되고 있는 실정이다.

> 예수께서 이르시되 내가 곧 길이요 진리요 생명이니 나로 말미암지
> 않고는 아버지께로 올 자가 없느니라 요한복음 14:6

21세기 '평화'라는 이름으로 전 세계적인 연합을 위한 바벨탑 건설에는 기독교가 핵심적인 적대적 요소로 작용하게 된다. 바로 이것이 우리가 주목해야 할 문제의 핵심이다. 참된 평화의 왕이신 예수 그리스도의 길만이 우리의 유일한 길이다. 하지만 이들은 거짓 평화를 주장하면서 예수 그리스도를 버리고 전 세계의 통합에 동참하라는 것이다. 이러한 국제사회를 만들어 가는 사람들은 스스로를 유대인이라 말하며 그림자 정부의 핵심 권력을 손에 쥐고 있는 자들이다. 그러나 성경에는 그들은 다음과 같이 기록하고 있다.

자칭 유대인이라 하는 자들의 비방도 알거니와 실상은 유대인이 아니
요 사탄의 회당이라 요한계시록 2:9

　이들 가짜 유대인들이 예수 그리스도가 없는 세상, 거짓 평화가 가득
한 세상인 '현대판 바벨탑'을 건설하기 위해 연합을 도모하고 있는 것이다.
　바로 이들이 추구하는 목표가 신세계질서(New World Order)이며, 이에 따
라 점차 적그리스도인 짐승의 정부가 다가오고 있는 것이다. 이들은 국제사
회에 유대인으로 활동하며, 유대인에 대한 국제사회의 반감을 확대 재생산
한다. 그리고 때가 되면 진짜 유대인들을 학살하는 이중적 전략을 사용하
며, 하나님의 언약의 계획인 예수 그리스도 안에서의 참된 연합을 방해하고
있는 것이다. 따라서 세계정부가 정확히 무엇이며 그것을 이뤄가는 그들의
역사를 알아보고 그들이 근대 인류사에 끼친 중요한 사건들을 확인해 보며,
하나님의 계획과 사단의 계획을 균형감 있게 볼 수 있기를 바란다.

1부

세계정부 (New World Order)

2부 세계의 돈을 지배하는 사람들

3부 마지막 성도

제1부
세계정부
(New World Order)

| 신세계질서 새로운 통치 시스템 |

1. 다음 세기에 우리가 알고 있는 국가들은 진부한 것이 될 것이다. 모든 국가들은 하나의 범지구적 권력을 알게 될 것이다. 국가 주권이란 결국 그렇게 좋은 생각은 아니었던 것이다. **스트로브 탈보트**
2. 신세계질서, 이것은 커다란 개념입니다. H.W. **부시 대통령**
3. 우리는 범지구적 변화의 가장자리에 서 있다. 우리에게 필요한 것은 제대로 된 큰 위기이며 각국은 신세계질서를 받아들이게 될 것이다. **데이빗 록펠러**
4. 수많은 사람이 '신세계질서'를 증오할 것이다. 그리고 저항하며 죽어갈 것이다. H.G. **웰스**
5. 우리는 우리 모두가 바라는 신세계질서를 구축하는 사람들에게 포상을 해야 한다고 본다. **오바마 대통령**

신세계질서 새로운 통치 시스템

파워 엘리트들이 말하고 있는 신세계질서(New World Order)는 과연 무엇인가? 이 장에서는 신세계질서의 개념이 무엇인지, 그리고 새로운 국제정치 시스템이 어떠한 과정을 통해 전 인류 가운데 작동되고 있는지 살펴보도록 하겠다.

신세계질서는 세계적 수준에서 의사결정을 집행하는 구조를 지닌 정치체제로 기존 '국가와 민족'이라는 개념의 정치적 지배 질서를 허물은 세계적 차원의 통치 시스템을 말한다. 신세계질서는 한마디로 '세계정부'이다. 이 세계정부 수립을 목표로 전 세계의 각 분야의 변화는 급속히 진행되고 있다. 이러한 변화는 인류의 자연스러운 진보의 과정을 의미하는 역사적 발전이 아닌, 인위적인 계획과 조작으로 인한 전 지구적인 통치 시스템을 형성하기 위함이다. 더 나아가 기독교의 신앙을 지켜온 수많은 크리스천들에게는 바로 적그리스도의 등장을 알리는 경고음이다.

지난 100여 년 동안 유럽의 로스차일드 가문(Rothschild)과 미국의 록펠러 가문은 세계경제체제를 인위적으로 조작해왔고, 이를 통해 세계를 전 지구적인 경제 파산으로 몰아넣고 있다. 데이비드 록펠러는 세계를 인질삼아 " 세계경제를 회복하는 유일한 방법은 새로운 세계은행에 의해 운영되는 세계정부를 출범시키는 것"[1] 이라는 궁극적 목표를 제시했다. 로스차일드가(家)와 록펠러가(家)가 운영하는 세계중앙은행에 의한 세계단일정부는 소설 속의 이야기처럼 보이지만 현재 우리의 삶 가운데 구체화 되고 있다. 이들은 이 세계단일정부를 '신세계질서'(New World Order)라 부른다.

앞으로 세계 각 국가들은 세계중앙은행에 직접 세금을 납부하게 될 것이다. 요즘 거론되고 있는 '탄소세'는 시작에 불과하다. 종이돈이 사라지고 화폐 사용의 익명성이 더 이상 보장되지 않는 투명한 사회를 위해 모든 거래는 전산으로 기록된다. 따라서 모든 정보는 세계정부에 의해 통제된다. 그리고 세계의 영구적인 평화를 위해 모든 사람은 전산으로 등록된 칩(chip)을 통해 사회 안전 보장 번호를 부여 받으며, 세계의 모든 인구는 세계중앙은행에서 발행하는 전자화폐를 사용하기 위해 개인 식별기능을 갖고 있는 새로운 신분증(Positive ID)을 받아야 한다. 완전한 감시사회가 우리 앞에 다가오고 있는 것이다. 이러한 세계정부를 준비하는 자들이 바로 지금 세계를 움직이고 있는 자들이다. 이제 더 이상 이것을 음모론(陰謀論)이라고 덮어버려서는 안된다. 그리고 이제 우리는 단 잠에서 깨어나야 한다. 따라서 이러한 세계정부를 만드는 자들의 두 축인 로스차일드 가문과 록펠러 가문을 먼저 알아보고 국제유태금융가들이 준비하는 세계 통합 프로그램의 전략들과 세부 진행 과정을 살펴보도록 하겠다.

세계의 급격한 권력 변화

2012년 세계에서 일어나는 대부분의 사건들은 세계정부의 구조를 완성하기 위한 목적하에 진행되고 있다. 오늘날에도 지구 곳곳에서는 분쟁과 전쟁이 끊임없이 일어나고 있다. 이렇게 현재 일어나고 있는 국제사회의 작동 원리와 근본 원인에 대하여 세계의 메이저 언론은 정직하게 말해주지 않는다. 국제적으로 일어나는 대부분의 전쟁에는 신세계질서를 만들어가는 국제유태자본이 깊이 있게 관여되어 있기 때문이다.

재스민(Jasmine)혁명으로 불리는 중동의 지배 질서 개편은 리비아의 카다피의 죽음을 계기로 더욱 가속화되고 있다. 로스차일드가 장악하고 있는 로이터를 비롯한 여러 언론은 시민혁명의 대승리라는 실시간 외신 기사를 전 세계에 전달하였다. 아쉽게도 이러한 사건의 불편한 진실은 바로 단일 체제 구축을 목적으로 부시에 의해 '악의 축'으로 규정되어 중앙은행 체제를 허용하지 않고 있는 세계에 몇 개 남지 않은 국가들을 장악해 가는 과정에 있다는 것이다.

NATO가 '리비아'에 관여한 이유에 대해 추측이 난무한 가운데 러시아 방송(RT.COM)의 런던특파원은 카다피의 금본위 원유 전략을 분쇄하기 위해 NATO연합군이 직접적으로 개입한 것이라고 보도했다. 상세한 보도에 의하면 카다피는 아프리카와 연합하여 달러와 유로화를 대응할 만한 새로운 화폐 '디나'의 출시를 계획하고 있었다. 순금으로 만든 아프리카의 자체 화폐를 통해 로스차일드와 록펠러를 중심으로 한 세계금융체제의 부를 재분배 하려는 시도를 꾀한 것이다. 그리고 카다피는 리비아의 석유 대금 결재를 새로운 화폐 디나를 통해서만 거래하려는 계획을 준비 중에 있었다. 이를 통해 세계의 경제균형에 변화를 가져올 계획이었고 리비아는 144톤의 금을 보유하고 있는 중이었다. 하지만 세계중앙은행을 준비하고 있는 세계의 파워엘리트들은 자신들이 주도하지 않는 새로운 화폐개혁이 국제사회에서 결코 용납될 수 없다는 사실을 다시금 카다피의 죽음을 통해 세계의 지도자들에게 보여준 것이다. 당연히 본질적인 금융 문제를 이슈화 할 수 없었기 때문에 오래된 독재자 카다피의 제거와 민주화라는 표면적 이유를 내세워 NATO가 직접 개입한 것이다.[2] 이제 세계중앙은행 창설을 위한 권력 체제의 변화의 바람은 이란과 사우디아라비아를 거쳐 북한의 체제 변화로까지 진행될 것으로 예상된다. 이 모든 변화는 하나의 초점인 세계중앙은행의 창설과 세계단일정부의 완성에 맞춰져 있다.

이제 전 세계에 대한 그들의 통제력은 거의 완성단계에 와있다. 그리고 그들은 전 세계의 대중들의 의식 전환 작업을 위해 국경을 허무는 '대중문화혁명'을 진행 중에 있다. 2011년 10월 미국의 월가에서 진행되는 집단 데모와 한국의 전 세계를 향한 한류열풍도 로스차일드와 록펠러가 주축이 된 사탄숭배 집단 프리메이슨이 세계단일정부와 신세계질서를 완성하기 위해 세부적으로 추진하고 있는 대표적인 사례이다. 이렇듯 과거 무력으로 건설했던 제국과는 다르다는 이유로 그들은 자신들의 지배 시스템을 궁극적으로 '혁명'이라 부르고 있다.

결국 현재 우리 사회는 조작된 인식의 패러다임을 통해 내부의 문명을 조종하는 지배 엘리트의 구조물인 셈이다. 이를 위해 신세계 질서를 만드는 조종자들은 인류의 행동양식을 오랫동안 면밀히 연구해왔고 인간의 원초적 성향을 기술적으로 통제함으로써 대중을 조종해 왔다. 유로화, 달러화의 붕괴를 통한 세계중앙은행의 창설에 이르기까지, 국제적인 차원의 의사 개입에서부터 한국의 2012년 대선과 한류열풍 등은 하나같이 그들에 의해 조작되어 우리의 삶 중심에 파고들고 있다.

이 장을 통하여 지금 일어나고 있는 수많은 사건들이 오로지 하나의 방향, '세계단일정부'를 향해 가고 있음을 직시하기 바란다.

'세계중앙은행' 창설과 '세계단일정부' 수립을 위하여

지난 250년에 걸쳐 진행된 '자칭 유대인'의 실상, 곧 사단의 회당인 프리메이슨 집단의 핵심세력 '로스차일드가'(家)와 '록펠러가'(家)는 이제 전 세계를 통합하기 위해 세계중앙은행을 설립함으로써 성경에서 말하는 적그리스도의 정부 체제를 완성할 마지막 작업을 진행하고 있다.

1995년에 세계단일시장의 구축을 목표로 시작된 세계무역기구(WTO)가 출범되었다. 국경을 넘어 자유로운 교역이 가능한 광역시장 구축은 세계화폐 발행권을 장악하려는 로스차일드의 정책적 계략이었다. 최근 학계에서는 세계의 가난한 자들의 빈곤을 종식하기 위해 세계단일정부를 신속히 창설하여 자원을 효과적으로 분배해야 한다고 외치고 있다. 그러한 과정 속에서 이들은 민족주의 개념은 붕괴되어야 하며, '더 넓은 지구'라는 공동체 안의 세계인이라는 의식을 재정립하여 세계정부 시대를 외치고 있다. 그러나 이러한 순수한 의도로 세계가 돌아간다면 얼마나 좋을까. 그러나 그 이면을 들여다보면 세계를 통합하고 기독교를 말살하여 세계정부를 창설하려는 사단의 의도와 계획이 성경의 예언대로 이루어져 가고 있는 것에 지나지 않는다.

프랑크프루트에서 시작된 로스차일드가는 프랑크푸르트, 런던, 파리, 비엔나, 나폴리에 5극체제로 유럽의 금융을 장악했고 두 차례의 세계대전을 통해 세계를 장악할 큰 그림을 그렸다. 이후 이들은 양극체제를 유지하며 유럽통합의 역사를 완성하였으며, 오늘날 단일체제로 수렴하기 위해 국제결재은행(BIS), 미국 연방준비은행(FRB), 세계은행(World Bank), 국제통화기금(IMF)을 통제하며 그 영향력을 전 세계로 확대하고 있다.[3] 따라서 위 기관들의 수장들은 로스차일드와 록펠러가 원

5극체제
영국, 독일, 프랑스, 이탈리아, 오스트리아 5곳을 중심으로 18세기 유럽의 국제금융을 장악함.

하는 인사들로 채워지고 있다. 2008년부터 시작된 거대한 금융 쓰나미 속에서 각국의 경제주권은 국민들의 의사와 상관없이 고스란히 국제금융가들의 손으로 넘어가고 있다. 오늘날의 세계경제는 모든 나라들이 무역을 통해 살아갈 수 밖에 없도록 되어 있다. 세계 무역의 결과 개별국가들의 위기는 실타래처럼 연결되었고, 이 위기가 모든 나라의 경제에 영향을 미치게 되어 '위기의 도미노 현상'이 일어나고 있는 실정이다. 이는 자연스러운 현상이 아니며 무력으로 세상을 지배하는 것보다 훨씬 세련된 '자발적 주권반납'을 유도하기 위한 국제 금융가들의 치밀하고도 오래된 계획이었다.

오늘날 세계 각국은 개별 국가로서는 감당하기 어려운 환율문제, 국제 투기자본문제, 동시다발적인 금융위기, 초 인플레이션의 위기 등 개별단위 국가가 해결하기에는 그 능력을 넘어서는 문제들을 겪고 있다. 점차 세계경제는 환란과 위기 속으로 빠져 들고 있다. 이러한 과정 속에 국제리더그룹은 연일 단일화폐가 그 대안적 요소이며 UN을 통한 세계시민, 세계경찰 등 국제공조의 필요성을 강조하고 있다. 이러한 외침은 매우 시기적절한 화두처럼 들린다. 이러한 때에 대중들은 여론을 생산하는 자들의 방향대로 비판하고, 그 이상의 사고 능력은 점차 상실되고 있다. 이제 동성연애가 합법화되고 기독교가 불법화 되는 현실이 자연스러운 현상처럼 비치게 되었음에도 사람들의 거룩한 비판의식은 상실되고 있다. 세계정부를 만들어가는 자들이 이러한 단일사회를 만들어 가는데 가장 위험요소가 되는 집단은 바로 깨어있는 기독교인들이다.

단일사회에 중요한 요소 중 하나가 통합된 단일종교이다. 이 구상은 세계평화를 위하여 매우 그럴듯하며 수용할만한 사고처럼 보인다. '하나님 아래 한 가족'(One Family Under God)이라는 이 구호는 단일사회에 반드시 필요한 종교통합사상이다. 예수만이 구원이라는 기독교적 진리는 이들에게 방해가 되는 요소이기 때문에, 그들은 기독교를 더 이상 세상이 원하지 않는 사상이라고 주장하고 있다.

또한 2009년 부터는 미국을 비롯한 많은 나라들이 이 진리를 전하는 것이 '타종교에 대한 인권침해'라는 그럴듯한 이유로 성경의 진리를 불법화하려는 입법 작업을 서두르고 있다. WCC는 전 세계적인 종교통합의 흐름에 따라 가톨릭과 기독교의 연결고리를 확대하고 있고, 거짓된 세계평화를 위해 기독교인들로 하여금 집단 배도의 길을 따라가도록 하는 기구로 전락하고 있다.

이에 따라 세계정부에서 인증하는 종교인 '하나님 아래 한 가족'이라는 종교통합사상에 동의할 경우에 합법적인 종교로 인정받는 시대로 진입하고 있다. 이는 공상 과학소설이 아닌 오늘날 기독교가 처한 매우 객관적인 현실이다.

2009년 미국은 동성애가 합법화 되었다. 어느새 성경의 진리가 불법이 된 것이다. UN에서 매년 실시하는 인권조사위원은 정말 이 땅에 소외받는 인권은 조사하지 않고 82년 UN인권 선언문을 근거로 각 국의 성적 소수자들이 침해받고 있지 않은지 감시하고 있다. 그들은 예수만이 구원이라는 말씀이 타종교의 인권을 침해하는 것이라고 발표한다.

세계정부의 전략서 : 시온의 의정서

1770년 일루미나티의 시조인 아담 바우샤프트(Adam Weishaupt)와 마이어 암셀 로스차일드가 만나 의정서를 현대화 하기로 합의하였다. 이들이 만든 일루미나티는 사단을 숭배하는 종교인데 그 기반은 성경을 모방한 것이다. 원래 하나님의 계획은 유대인과 이방교회가 예수 그리스도 안에서 연합하는 것이었고, 이것이 하나님 나라 회복의 핵심이라고 성경에 기록되었다. 사단의 종교 일루미나티는 그러한 하나님의 계획을 정면으로 반대하기 위하여 가톨릭이 지배하던 중세시대에 유대인을 집단 학살하여 기독교와의 연합을 뿌리 깊게 방해했다.

| 마이어 암셀 로스차일드

그리고 이들은 18세기 이후 사단을 숭배하는 자칭 유대인 집단을 통하여 적그리스도가 중심이 된 세계정부를 준비해 왔다. 이러한 과정에서 지속적으로 유대인과 이방교회의 연합을 방해하기 위하여 세계정부를 준비하는 자들은 스스로를 유대인이라고 칭했고, 국제사회에 강력한 힘을 과시해 왔다. 이러한 과정에

| 아담 바우샤프트

서 그들은 의도적으로 반유대주의 정서를 확대, 재생산하여 유대인 학살을 통해 하나님 나라의 연합의 계획을 궤멸시키려 했다. 이들은 오늘날 '시온의 의정서'를 통해 실제로 세계정부를 만들어 가면서도, 국제사회의 여론을 또 다시 반유대정서로 확산시키는 이중 전략을 구사해 왔다.

시온의 의정서의 등장

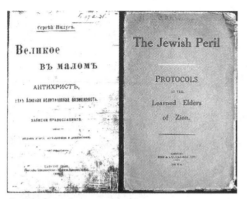

『하찮음 속의 위대함』

1884년 러시아 장군의 딸 글링카 (Justine Glinka)는 러시아 내무부 장관의 비서인 오르게프스키 장군(General Orgevskii)의 지령을 받고 프랑스 파리에서 정보 수집 활동을 하고 있었다. 그녀는 프랑스 파리의 프리메이슨 '미즈라임 라지'에 속한 유대인 요셉 쇼오르스트(Joseph Schorst)에게 2500프랑을 지불하고 시온의 의정서를 구입하여 러시아어로 번역한 다음, 프랑스어 원본과 함께 러시아로 보냈다. 이를 판매한 요셉 쇼오르스트는 생명의 위협을 피해 이집트로 도망갔지만 그곳에서 살해당했다고 한다. 그러는 사이에 시온의 의정서는 『하찮음 속의 위대함(The Great Within the Small)』이란 제목의 책으로 1901년 대량으로 출판되었다.

이 책의 한 부는 현재 영국 대영박물관에 보관되어 있다. 그 후 1917년 재판이 나왔고 공산혁명을 통해 정권을 잡은 소련의 '케렌스키'는 이 책을 모두 압수하여 없애도록 조치했다. 이 책을 소유하고 있는 자는 현장에서 총살하라는 명령이 내려질 정도로 철저하게 폐기되었다.[4]

시온의 의정서는 시오니즘 사상을 기반으로 설계되어 있기 때문에 전 세계의 시오니즘 유대인들로부터 강력한 공감대를 형성하고 있었으나, 그 실상은 '자칭 유대인이며 사단의 회당'인 일루미나티가 주도하고 있는 적그리스도의 계획이다. 세계정부가 창설되면 많은 유대인들은 그 적그리스도를 시오니즘이 말하는 메시아로 오인하게 될 것이다. 그러나 이 세상의 참 평화는 오직 예수 그리스도 밖에 없으며, 이 세상이 주는 평화는 거짓 평화이다.

세계단일정부를 위한 전략 지침서인 시온의 의정서[5] 주요 내용

시온의 의정서는 총 24장으로 구성되어 있으며 철저하게 반성경적인 방법으로 전 세계를 통치하는 경영전략 지침서이다. 주요 골자는 다음과 같다.

제1장 힘은 곧 정의요, 진정한 권력이다. (권력의 정의)

25절 우리는 고대부터 자유(Liberty), 평등(Equality), 박애(Fraternity)를 처음부터 부르짖은 사람이다. 대중들은 이런 용어의 추상적인 뜻을 전혀 이해 못한다. 이들은 용어들의 관계와 의미의 상반적 모순을 알아차리지 못한다.[6]

27절 민감한 인간 심리를 잘 다뤄서 일을 쉽게 만들 수 있다. 돈을 벌어 부자가 되겠다는 욕심, 끝없는 물욕 등의 약점을 잘 이용하라. 돈으로 그들의 의지(意志)를 매수하라.[7]

제2장 전쟁은 우리의 목적을 이루기 위한 수단이다. (전쟁을 통한 지배력 확장)

1절 전쟁은 우리의 목적을 이루기 위해 꼭 필요한 것이다. 뿐만 아니라 전쟁은 우리의 경제적 위치를 확고하게 한다. 참전국들은 반드시 우리의 절대적인 힘(금전)에 의존하게 된다. 또 전쟁을 하는 양측의 운명은 우리 엘리트의 자비심에 달려 있다. 결과적으로 우리는 수많은 인간을 감시·통제할 수 있는 능력을 갖게 된다. 우리의 국제적 권리는 국가의 권리를 말살할 것이다.[8]

2절 우리는 지나간 역사를 관찰해 배운 점을 기초로 우리의 정치적 설계를 실천하는 데 적합하고 필요한 정보를 통괄하는 사람이다. 반면 대중들은 이론적인 사설(事設)만 배운 자들이다.[9]

3절 통치자에게는 민중의 사고방식을 움직이는 막강한 힘이 있다. 바로 언론기관이다. 우리는 언론을 통하여 막강한 영향력을 유지하지만 계속 그들의 그늘 밑

에 존재해야 한다.[10]

제3장 우리의 상징은 뱀이다. 경제력으로 세계를 장악한다. (경제권력 확장)

1절 우리를 상징하는 뱀이 나타나 용틀임할 준비가 돼 있다. 이 뱀이 몸통을 감아 강력한 힘으로 조일 때 온 유럽 국가들은 그 안에서 꼼짝 못하고 굳어버릴 것이다.[11]

2절 각 나라의 헌법은 와해될 것이다. 왜냐하면 우리가 헌법을 만들 때 일부러 서로 조화되지 않도록 부조리하게 만들었기 때문이다. 대중들은 헌법이 아무런 모순 없이 늘 평형을 이루고 있다고 여긴다.[12]

5절 대중의 가난은 우리의 무기이다.

모든 민족들을 과거 노예나 농노로 쇠사슬에 메여 있을 때보다 더욱 견고한 '가난의 쇠사슬'로 묶는다. 일단 이런 상태가 되면 아무리 몸부림을 쳐도 그들은 절대로 사슬에서 완전히 풀려날 수 없다. 우리는 헌법에 상당한 국민의 기본 권리를 가상으로 넣었다. 소위 국민의 기본 권리는 하나의 사상일 뿐, 실생활에 적용되는 것이 아니다. 국민들이 헌법의 무익함을 깨달을 때 우리 엘리트들은 충실한 하인들을 앞세워 빵 부스러기를 한 줌 뿌리게 한 다음 우리의 종에게 다시금 투표하도록 한다.[13] 그러면 대중들은 새 지도자에게 다시 희망을 건다.

11절 공장이 문을 닫고 상거래가 중지되는 경제 위기가 닥치면 위정자들에 대한 대중의 증오는 더욱 심해진다. 이때 우리는 갖고 있는 재력으로 장막 뒤에서 모든 방법을 동원해 공작해야 한다. 전 세계에 대모를 선동하고 경제공항을 만들라.[14]

13절 사회의 동요를 안정시킨다는 명목으로 전 세계의 자유주의를 섬멸한다.

제4장 혼란을 조장하고 물질주의를 확산시켜 종교와 신앙을 대체시킨다.

(물질주의로 종교대체)

2절 프리메이슨과 같은 상류계급의 회원들에게 우리의 손과 발의 역할을 맡기지만 우리의 존재와 목적을 발설해서는 안된다.[15] 프리메이슨은 대중들이 우리의 본질을 인지하지 못하게 하는 방어막 중 하나이다. 그래서 음모론과 미스터리로 남겨 놓아야 한다.

3절 대중들이 깊이 사물의 본질을 고찰하지 못하도록 산업과 무역에 몰두하게 하라. 사회를 파괴하기 위해 산업자본이 투기자본이 되도록 유도하라. 땅을 위주로 하는 생업에서 투기산업으로 전환시켜 인류 전체의 생명줄인 식량산업이 우리의 손에 들어오도록 하라.[16]

토지는 다 내 것임이니라 레위기 25:23

5절 남보다 부유해지려는 욕망은 극도의 생존투쟁을 불러온다. 결국 서로에 대한 사랑이 식어지는 사회, 냉정한 사회가 된다. 대중들이 추구하는 것은 오직 황금, 즉 돈이다. 오직 물질만을 신봉하는 유일한 신앙이다.[17]

너희는 하나님과 재물을 겸하여 섬길 수 없느니라 누가복음 16:13

제5장 오락(음악,영화)으로 대중의 의식구조를 지배하고 타락시킨다.

(오락의 확산으로 의식구조 지배)

5절 우리는 지난 2천 년 동안 대중들이 개인, 국가, 종교, 인종간에 서로 반목하고 그 반목이 증대되어 서로를 증오하도록 공작해 왔다. 국가라는 기계의 바퀴를 굴리려면 힘센 엔진이 필요하다. 여기서의 엔진은 우리를 말한다. 엔진을 돌

게 하는 힘은 우리들이 지배하는 금(돈)에서 나온다.[18]

7절 자본(資本)을 독점하라.

전 세계의 자본은 우리의 손에 의해 모두 점거된 상태이다. 자본의 독점은 점차 산업과 정치세력을 소유하게 되어 민중을 억압할 수 있는 힘을 마련하게 했다. 우리를 공격하기 위해 날아오는 화살을 엉뚱한 방향으로 돌리고 대중들에게 헛소리로 들리도록 만드는 것이 중요하다.[19]

8절 사람은 흥행하는 쇼를 보고 그에 만족하면 그 안에서 말하는 말을 있는 그대로 믿게 되는 법이다. 때문에 영화산업은 대단히 중요하다. 이런 사업을 육성해 우리가 원하는 것을 미화시켜 대중이 쉽게 받아들이도록 한다.[20]

11절 광기에 가깝도록 몰두하는 개인의 취미생활을 장려하여 서로를 이해하지 못하도록 한다. 이는 우리를 대항하려는 세력이 서로 단합하지 못하게 하는 효과가 있다. 이것을 위해서 사회의 교육 제도 속으로 들어가 발단이 될 근원부터 뽑아버려야 한다. 따라서 활동의 자유로 인하여 얻어진 개개인의 개성화는 서로가 연합되지 못하는 효과를 얻을 수 있다.

결국 대중들은 우리 엘리트에게 세계 모든 국가들을 흡수하고 통솔할 수 있는 국제세력을 만들어 달라고 호소하게 될 것이다. 결국 세계의 모든 세력을 우리의 울타리 안으로 흡수해 명실공히 우리는 세계정부를 세울 수 있게 되는 것이다. 그러면 우리는 현재 각 나라의 통치자들이 차지하고 있는 권좌에 세계정부의 행정부라 불리는 괴뢰정부를 앉히고 이 기구를 통해 전 세계의 구석구석까지 손을 뻗치게 되어 막강한 초대형 조직을 만들게 될 것이다. 결국 세상 어느 국가도 우리에게 도전하지 못하게 될 것이다.[21]

제6장 정치인들을 부패시켜라.

1절 우리는 곧 어마어마한 부를 독점하고 저장할 것이다.

4절 각 지역에서 기득권을 갖고 자급자족이 가능한 삶을 사는 공동체는 우리에게 치명적인 해를 끼칠 수 있다는 것을 명심해야 한다. 때문에 그들이 자급자족으로 더 이상 생존할 수 없도록 만들 필요가 있다. 그들이 계속 토지를 유지하기 어렵도록 점점 빚을 지게 하라.[22]

6절 산업과 무역을 동시에 적극 장려하라. 특히 투기성 산업이 좋다. 그 이유는 산업 발전에 반작용을 하기 때문이다. 투기성이 없는 산업은 개인의 손에 자본을 축적할 기회를 주어 은행으로부터 빚을 지지 않고 경제력을 키울 우려가 있기 때문이다. 투기성 자본을 장려하여 기회가 있을 때 마다 전 세계의 돈이 우리 수중으로 들어오게 해야 한다.[23]

7절 사치를 조장하여 자본의 낭비를 부축이도록 하라.

제7장 군사력을 강화하고, 언론을 조작해 전쟁을 일으켜 이익을 취한다.

(갈등 소모 전략)

5절 국민의 뜻이란 우리가 미리 짠 계획 하에 언론의 힘을 이용해 이들을 우리 뜻대로 조작한 대중의 군중심리를 말한다. 혹 소수의 예외가 있다손 치더라도 이는 무시할 정도여야 한다.

제8장 전문가들로 하여금 우리에게 유리한 법제를 만든다.

2절 우리 진영에 인재를 은행가, 산업가, 자본가, 법률가로 채우고 우리의 이익을 위해 일하도록 중요한 위치에 배치하여 일하도록 한다.

제9장 자유라는 독에 취하게 하라.

제10장 약점 있는 인물을 지도자로 내세워 배후에서 조정 한다.

4절 우리의 목적은 세계를 통치하는 것이다.

우리가 쿠데타를 완수하면, 모든 사람들에게 쿠데타의 목적은 세상이 너무 험악한 탓에 더 이상 고통을 참을 수 없어 고통의 원인을 제거하기 위해서라고 설명하라. 이를 위해 국적, 화폐, 국경을 없앨 것이라고 하라.

18절 우리가 알려질 때에는 세계의 모든 국민들이 자국 지도자들의 불안정성과 일관성 없는 정치에 지쳐 있을 때이다. 지구의 모든 사람들은 우리에게 국가, 국경, 종교 그리고 국가의 부채를 없애고 지구상의 유일한 왕이 되어 현재의 정치 지도자들에게서 찾을 수 없는 평안과 안정을 갖게 해달라고 애원하게 될 것이다.[24]

19절 세계 각국의 사람들로부터 이러한 탄원이 나오기 위해서는 세계 곳곳에서 민족과 민족, 국민과 정부 사이에 재난과 환란이 끊임없이 일어나 당파 싸움, 증오, 처절한 생존투쟁, 심지어 기아에 허덕이는 등 인간성이 메마르는 극한의 상황에 도달해야 한다.[25]

제11장 일시적으로 대통령의 권한을 강화시켜라.

5절 대중들의 자유를 빼앗기 위하여 대통령의 권한을 강화시키고 빼앗긴 자유를 되돌려달라고 대중들이 외칠 때, 국제사회를 통합하는데 물의를 일으키는 반대파들을 소탕한 후 다시 자유를 주겠다고 거짓 약속을 하라.

7절 우리가 기본적으로 사용한 조직은 알려지지 않은 비밀 조직인 프리메이슨이다. 어리석은 대중들은 자기 영달을 위하여 프리메이슨에 가입하려 할 것이다. 그러한 이들을 통해 충성심 경쟁을 유도하고 우리의 효과적인 목적 달성을 위해 활용한다.

제12장 언론을 통제해 대중의 심리를 조종한다.

4절 이미 세계의 구석구석에 통신망을 펴고 있는 주요 통신사들은 모두 우리가 소유하고 있으므로 우리가 원하는 대로 여론을 조정해야 한다.

5절 대중들은 우리가 색칠한 색안경을 통해서만 사물을 볼 수 있다.

19절 새롭게 세워질 세계정부는 범죄마저도 완전히 사라지는 아주 완벽한 사회가 될 것이라는 믿음을 대중에게 심어주어야 한다.[26]

(세계정부의 새로운 신분증 생체칩을 통한 완전한 통제사회를 의미함)

제13장 대중들을 혹사시켜라.

1절 생존 때문에 아무 말도 못하고 묵묵히 일하는 대중을 만들어라.

6절 마치 무대 위의 배우처럼 수백 년 동안 전 세계 모든 민족들이 우리의 각본에 의해 움직였다고 누가 감히 짐작하겠는가?[27]

제14장 세계정부에서 기독교를 말살시킨다.

2절 우리의 철학자들을 동원하여 예수를 섬기는 것을 말살하라.

제15장 세계정부는 대항자를 엄히 처벌한다. (세계정부 수립 후 잔당 정리 문제)

1절 전 세계적으로 같은 날 쿠데타로 우리의 세계정부의 실현이 확실해지고 지금까지의 정부들이 무가치한 존재였음을 대중이 인식했을 때, 우리를 반대하는 계획이나 음모 같은 것은 더 이상 존재하지 못하도록 해야 한다. 따라서 우리를 저항하는 비밀단체의 사람들에게 사형을 내려라. 우리에게 협조한 프리메이슨들은 사실을 폭로하지 못하도록 두려움 속에서 살도록 하라.[28]

4절 그러나 세계정부가 실현될 때까지 우리가 원하는 것과는 반대로 행동해야 한다. 즉, 프리메이슨 로지(lodge)를 세계 각국에 가능한 한 많이 세운 뒤, 사회 명사들은 누구든지 환영하며 받아들여라. 이 로지(lodge)들은 우리의 정보실로 사용해 사회에 영향력을 미치는 기구로 만든다. 그리고 중앙통제기관의 요원은 우리의 핵심 요원으로만 구성한다.[29] 비밀조직에 대한 대중의 의심은 유명한 인사들을 가입시킴으로써 우리 단체의 본질적 의도를 알지 못하게 하라.

제16장 역사를 조작하고 새로운 철학을 주입시킨다.

제17장 인간을 개조하고 서로 고발하게 만들어 확고한 독재 체제를 구축한다.
    4절 우리는 세계교회(The International Church)의 왕의 될 것이다.[30]

제18장 정보를 장악하라.

제19장 대중에게 철권정치의 위력을 과시한다.

제20장 각국 정부의 부채를 늘려 국민을 경제적 노예로 전락시킨다.[31]

제21장 국채발행을 통한 부채 증가.

제22장 복지사회를 통한 부채 증가.

제23장 신세계질서.

제24장 우리의 왕. (성경에서 말하는 적그리스도를 지칭함)

살펴본 바와 같이 '시온의 의정서'는 오늘날 국제유태자본의 세계 지배 책략서이다. 이들은 고대 이집트의 태양신 숭배사상과 사단의 권좌가 있던 버가모 지역의 헬레니즘 문화를 그대로 이어받았다. 시온의 의정서에 대한 여러 가지 음모론이 있는 것은 사실이지만 오늘날 현대 사회를 깊이 있게 들여다보면 실제로 놀라울 만큼 정확하게 그 내용대로 세상이 통제 관리되고 있음을 알 수 있다.

이에 스위스는 1935년에, 프랑스는 1990년에 각각 시온의 의정서의 출판과 배포를 법으로 금지시켰다.[32] 미국의 금융위기와 유럽의 금융위기를 인위적으로 조작하여 새로운 경제 체제인 세계중앙은행 창설과 세계단일정부 수립을 목표로 진행되고 있는 2008~2012 금융위기는 국제유태자본의 의사결정 기구들을 통해 논의되어 조장되고 있다. 우리는 언론에서 보도되지 않는 주요 기구들을 확인해 보고 국내외 관련 인물들을 통해 특수 이익 집단의 파워를 이해할 필요가 있다.

역사의 중요한 변화는 전쟁을 통해 이루어져 왔다. 그리고 그 전쟁의 이면에는 '돈'이 있었고 그 돈을 지배하는 사람들이 있었다. 전쟁의 승리자에게는 자신들의 관점에서 역사를 기록할 수 있는 힘이 주어졌고, 또한 자신들의 역사를 지워버릴 수 있는 기회를 누려 왔다. 그래서 우리가 역사를 바르게 인식하기 위해서는 돈의 역사와 그 돈을 지배하는 사람들의 역사를 바로 알아야 균형 잡힌 세계사를 이해 할 수 있다.

19세기 이후 돈을 지배하는 사람들은 로스차일드(Rothschild)가(家)를 대표로 하는 17개 주요 은행 가문이었다.[33] 이 은행 가문들은 국가의 흥망성쇠에 관계없이 전쟁을 통해 '채권자'라는 이름으로 살아남아 왔다. 이들은 오늘날 전 세계에 걸쳐 국제 인맥의 핵심 네트워크를 형성해 왔다. 이 거대한 자본집단은 급기야 세계 자본과 신용의 흐름을 장악하기 시작했고 정부와 군대라는 꼭두각시를 이용해 역사의 게임 규칙들을 만들어 내기에 이르렀다.

현재 이 거대자본은 정치, 경제, 종교, 미디어, 교육, 예술, 가정에 까지 사회의 모든 분야에 영향을 끼치고 있다. 이 자본가들은 '니므롯'에서 시작된 태양신, 여신, 아들 신(담무스) 숭배사상과 이집트의 종교에 뿌리를 두고 있는 자칭 유대인으로 실상은 사단의 회당인 프리메이슨과 결탁되어 있다. 따라서 그들은 자신들의 영향력이 미치는 전 세계 곳곳에 피라미드와 오벨리스크의 조형물을 세워 그 땅들이 자신의 지배력 안에 통제되고 있음을 드러내고자 한다. 이런 이유로 오늘날 세계의 주요 장소와 주요 건물들이 있는 곳에는 하나같이 이집트 시대의 태양신 숭배의 상징인 피라미드와 오벨리스크를 볼 수 있다. 그러나 현재 이러한 역사적 진실은 각각의 퍼즐처럼 부분적으로 떨어져 있다. 따라서 우리는 이 숨겨진 자본의 역사를 통해 마지막 때를 바르게 이해할 필요가 있다.

오벨리스크
고대 이집트 왕조 때 태양신앙의 상징으로 세워진 기념비

1달러에 담겨진 프리메이슨의 상징물

미국의 1달러 뒷면에는 금융을 지배하고 있는 자칭 유대인들의 꿈이 라틴어로 정확하게 반영되어 있다. "Novos ordo seclorum", 이는 영어로 'New World Order', 우리말로는 '신세계질서'이다. 여기에는 1913년 로스차일드가(家)와 록펠러가(家)의 미국연방준비은행(FRB)이 설립된 것을 기념하여 그들의 정신을 나타내고 있다. 그 왼편에는 피라미드와 전시안이 그려져 있고(모

든 것을 본다는 뜻), 오른쪽에는 미국의 새 불사조가 반영되어 있다. 유럽의 사단숭배종교인 프리메이슨들은 미국의 도시설계에도 그들의 우상숭배를 그대로 반영하고 있다.

1달러의 앞면에는 작은 부엉이가 숨겨져 있다. 쉽게 봐서는 잘 보이지도 않는 이 작은 부엉이를 왜 숨겨두었을까? 부엉이는 잘 보이지 않는 어두운 곳에서 홀로 사물을 잘 볼 수 있는 능력을 가진 새이다. 이러한 탁월한 능력 때문에 부엉이는 일루미나티의 콜롬비아 계 보헤미안 파를 대표하는 상

1달러 앞면에 숨겨진 부엉이의 모습

피라미드와 모든 것을 보는 전시안. 피라미드 밑의 Novos ordo seclorum는 우리말로 신세계질서를 의미한다.

미국을 상징하는 새 불사조 피닉스는 그리스 신화에서 가나안의 하나님을 향한 복수를 상징하는 새였다.

| 국제엘리트들의 비밀모임인 '보헤미안 그로브' | 부엉이상 앞에서 사단숭배의식을 갖는 국제엘리트들

징으로 사용되고 있다.

미국 캘리포니아 북단의 '보헤미안 그로브'(Bohemian Grove)라는 곳에서는 매년 7월 마지막 2주 동안 프리메이슨들이 모여 사단숭배 제식과 함께 국제적인 인사들의 회의를 갖는다.

미국 워싱턴DC 도시 설계와 프리메이슨

프리메이슨의 부엉이 형상은 미국의 도시 설계에도 반영되어 있다. 바로 미국의 수도 워싱턴 DC는 프리메이슨의 상징으로 설계되어 있다. 워싱턴 DC의 국회의사당은 1달러에 숨겨진 부엉이의 형상이 중앙에 배치되어 있다. 프리메이슨 조지 워싱턴은 당시 프랑스 출신의 피에르 찰스 랑팡(Pierre Charless L. Enfant)에게 미국의 수도 워싱턴 DC의 도시 설계를 맡겼다.

워싱턴 D.C. 프리메이슨의 도시설계

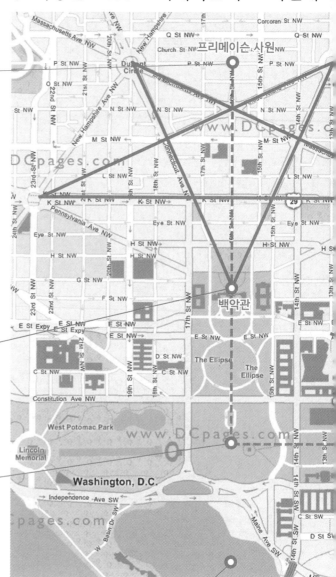

프리메이슨 사원

백악관

프리메이슨 사원

워싱턴DC의 오벨리스크를 중심으로 정남향에는 백악관이 위치하고 있고, 백악관의 북쪽 13블록에는 프리메이슨 사원이 오벨리스크를 향해 정남향으로 위치하고 있다.

백악관

오벨리스크

미국 국회의사당을 정면으로 하고 있는 태양신 오시리스의 오벨리스크(워싱턴기념탑)의 각 면은 55.5피트 길이로 666인치이다. 높이는 555.5피트로 6,666인치이다. 이는 1884년 워싱턴 DC에 세계에서 가장 큰 169m의 오벨리스크를 세웠다.

청사건물에 있는 이시스상과 마르스상

워싱턴 수도 청사건물의 상단에 있는 여신상은 여신 '이시스'이다. 입구를 지키고 있는 것은 제우스와 헤라의 아들인 로마의 전쟁의 신 마르스를 세웠다.

지도출처 www.dcpages.com

피에르 찰스 랑방
프리메이슨 조지 워싱턴은
당시 프랑스출신의 피에르
찰스 랑팡(Pierre Charless
L. Enfant)에게 미국의 수
도 워싱턴 DC의 도시설계
를 맡겼다.

국회의사당
18세기 프랑스혁명 당시
반기독교적 무신론적 사
상을 주장한 '루소', '볼테르'
등의 동상이 예배가 드려
지던 교회건물에 십자가를
떼어내고 판테온 신전으로
사용되게 되었다. 이 건물
양식을 기념하여 국회의사
당 건물이 건축되었다.

프랑스 판테온 신전

가평 통일교 신전

지도에 나타난 부엉이 형상
프리메이슨의 부엉이 형상은
미국의 도시설계에도 반영되
어 있다. 바로 미국의 수도 워
싱턴DC는 프리메이슨의 상징
으로 설계되어 있다. 워싱턴
DC의 국회의사당은 1달러에
숨겨진 부엉이의 형상이 중앙
에 배치되어 있다.

전 세계 주요 도시에 오벨리스크를 세우는 사람들

오벨리스크는 고대 이집트의 사원 입구에 세워진 1쌍의 커다란 뾰족 기둥으로, 주로 태양신에게 바치는 종교적 헌사나 왕의 생애를 기리는 내용을 담은 상형문자로 장식되어 있다. 오늘날 전 세계의 주요 도시에는 태양신의 상징인 오벨리스크가 세워져 있다.

19세기 당시 고대 오벨리스크 중 가장 큰(높이32m, 길이2.7m, 무게230t) 1쌍의 오벨리스크를 미국(뉴욕시의 센트럴파크)과 영국(템스 강변)에 세웠다. 이러한 태양신 숭배의 상징인 오벨리스크는 사단을 숭배하는 '자칭 유대인'들이 주요 도시에 세워두었다.

로스차일드가는 프리메이슨과 일루미나티 등을 통해 니므롯으로부터 시작된 사단숭배 모임을 더욱 강력하게 이끌어 나갔다. 반면에 그들은 겉으로는 철저한 유대인으로 가장하여, 시오니즘 운동을 추진하게 된 것이었다.

이런 이유로 로스차일드가 가는 곳에는 프리메이슨의 뿌리인 피라미드와 오벨리스크가 세워진다. 로스차일드는 프리메이슨의 뿌리인 이집트의 피라미드와 파라오 왕조에 대한 남다른 애착을 보였다. 1922년 투탕카멘(이집트 제18

| 영국 템스강변의 오벨리스크　　　　| 프랑스 콩코드 광장의 오벨리스크　　　| 미국 뉴욕 센트럴파크의 오벨리스크

▌ 이스라엘 대법원 안의 오벨리스크와 피라미드

대 왕조, B.C.1333~1323재위)의 무덤 발굴은 인류 역사상 가장 큰 보물의 발견이라고 평가되고 있는데, 이러한 세기적 발견을 맡았던 고고학자 하워드 카터(Howard Carter, 1874~1939)의 후원자가 바로 로스차일드 가문이었다.[34]

또한 제임스 로스차일드의 아내 도로시는 하나니브 재단(Yad Hanadiv)을 세워 이스라엘의 재건사업을 지원했다. 그리고 히브리 대학의 설립과 유지, 교육 방송국 개설, 정착촌 건설까지 이스라엘의 재건을 지원했다.[35] 1992년 하나니브 재단의 기부로 건설된 이스라엘 대법원 안에는 프리메이슨의 태양신 숭배 상징인 오벨리스크와 피라미드가 세워져 있다. 이렇게 로스차일드가는 하나님의 땅을 선점하여 이미 그 땅 가운데 유대인들의 영적 회복을 가로 막고 있다. 그러면서 그들은 이스라엘의 건국의 아버지라 일컬음을 받으며, 하나님 나라의 진정한 회복을 궤멸시키려는 것이다. 또한 이스라엘에 제3성전을 건축하여 거룩한 곳에 가증한 것이 세워지도록 준비하고 있는 것이다.

로스차일드가의 후원으로 발굴된 이집트 투탕카멘의 황금 마스크 머리에는 사단의 뱀이 뚜렷하게 형상화 되어있다.

현대에 재현된 고대이집트의 건축물과 기념물

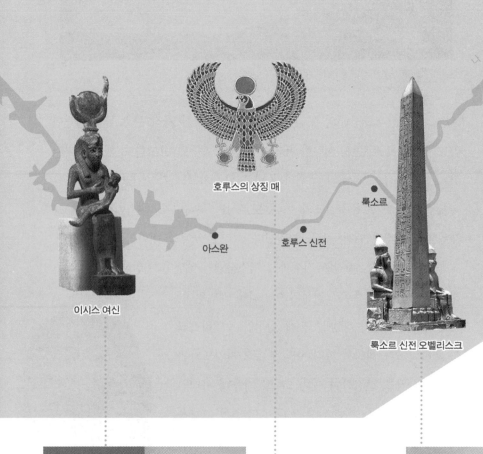

호루스의 상징 매

록소르

아스완

호루스 신전

이시스 여신

록소르 신전 오벨리스크

자유의 여신상

바티칸 마리아

1달러의 독수리

콩코드 광장 오벨리스크

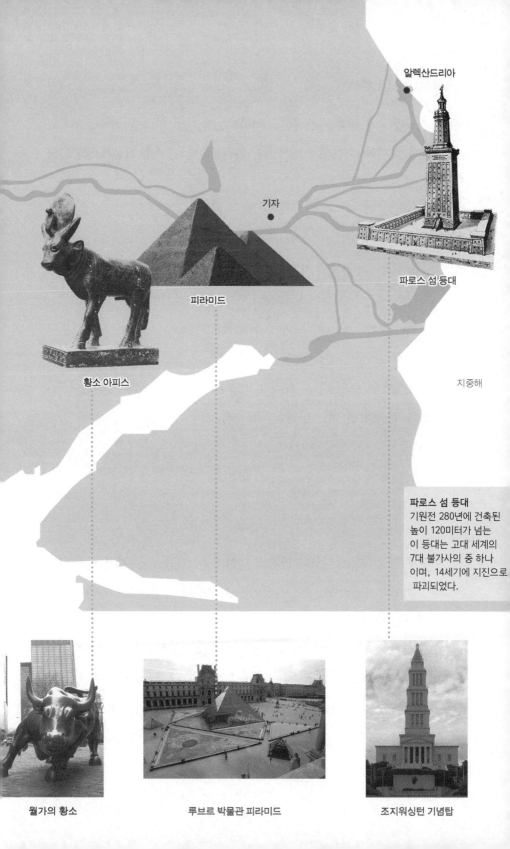

알렉산드리아

기자

파로스 섬 등대

피라미드

황소 아피스

지중해

파로스 섬 등대
기원전 280년에 건축된
높이 120미터가 넘는
이 등대는 고대 세계의
7대 불가사의 중 하나
이며, 14세기에 지진으로
파괴되었다.

월가의 황소

루브르 박물관 피라미드

조지워싱턴 기념탑

프리메이슨의 뿌리

이러한 우상숭배 문화 가운데서도 하나님은 하나님 나라를 회복할 믿음의 조상들을 예비하여 길러내고 계셨다. 하나님은 야곱에게 이렇게 말씀하셨다.

> 나는 하나님이라 네 아버지의 하나님이니 애굽(이집트)으로 내려가기를 두려워하지 말라 내가 거기서 너로 큰 민족을 이루게 하리라. 내가 너와 함께 애굽으로 내려가겠고 반드시 너를 인도하여 다시 올라올 것이며 요셉이 그의 손으로 네 눈을 감기리라 창세기 46:3-4

하나님의 말씀대로 이집트로 내려간 히브리인은 인구가 크게 증가하여 '민족'이라는 단위에 걸 맞는 숫자를 확보하게 된다.[36]

> 이스라엘 자손은 생육하고 불어나 번성하고 매우 강하여 온 땅에 가득하게 되었더라 출애굽기 1:7

이렇게 강성해지는 히브리 민족에 대하여 이집트는 경계하기 시작했고, 해산시 아이가 아들이면 죽이고 딸이면 살려두는 정책을 펼치게 된다. 그러나 하나님 나라를 방해하려는 사단의 이러한 계략에도 불구하고, 오히려 아기 모세가 죽음을 피해 강가에 버려지자 애굽 공주의 손에 길러지게 된다. 그리고 이집트의 히브리 민족은 바로 왕 아래에서 피라미드를 건설하는 노예생활을 하게 된다. 히브리 민족 중 피라미드 건축에 뛰어난 건축자들은 노예이지만 당시 최고의 과학자로서 거대한 이집트 제국의 영광을 누렸을 것이다. 그 당시 거대한 도시 이집트에서는 도시 자체가 우상을 숭배하는 문화로 건설되었다.

반면 하나님은 모세를 통해서 40년간 바로의 왕궁에서, 40년간은 광야에서 훈련시키시고 이집트에서 400년간 노예 생활을 하던 히브리인들을 출애굽 시키셨다. 그러자 이집트에서 피라미드와 도시설계의 건축자로 활동했던 고급 석공들이 불만을 터뜨리기 시작했다. 이집트에서는 태양신을 숭배하며 나일 강으로부터 수확된 곡식이 풍성했지만 모세를 쫓아 나온 광야생활은 그들에게는 모든 것이 불편하고 낯선 환경이었다. 그리고 모세가 십계명을 받으러 시내 산에 올라갔을 때, 히브리 민족이 노예 생활을 하며 400년간 보아왔던 태양신과 여신숭배 사상이 다시금 바알의 황소 상으로 나타나게 된다. 더 나아가 그들은 당시 최고의 과학자들로서 자신들의 고급 기술과 지식을 특정 집단에게 전수하고 자신들의 태양신 숭배문화를 지키며 여호와 하나님을 대적하는 비밀집단으로 변신한다. 하나님 나라를 회복할 이스라엘에 은밀히 들어온 사단숭배자들은 자신들을 '자유로운'(free) '석공'(mason), 즉 프리메이슨(freemason)이라 부르게 된 것이다.

이집트의 상형문자 서판에는 '외눈'이 자주 눈에 띤다. 니므롯의 아들 담무스는 이집트에서 '호루스 신'으로 불렸다. 그 외눈은 하나님을 향한 사단의 복수라는 의미를 담고 있다. 이것은 전 세계 금융을 장악하고 있는 프리메이슨이 발행하는 화폐 도안의 중요한 상징으로 빈번히 사용하고 있다.

현재 미국식 문화는 전 세계를 지배하고 있다. 이것은 유럽 곧 로마의 문화에서 온 것이며 그 모델은 헬라 문화(그리스)이고 그들의 원류는 가나안 문화였다.[37] 오늘날 세계를 지배하고 있는 프리메이슨의 영적 뿌리는 니므롯을 통해 고대의 모든 우상숭배 문화의 중심이 되었던 바벨탑을 통해 시작되었다. 그리고 그리스 문화를 통해 오늘에 이르게 되었다. 이제 그들은 21세기 글로벌 시대 세계정부하에 거짓평화를 외치며 하나님 아래 한 가족이라는 구호로 연합을 꾀하고 있다. 그러나 어제나 오늘이나 동일하신 여호와 하나님을 섬기는 그리스도인들은 온 세계가 꿈꾸고 있는 종교통합에 참여 할 수 없다. 그럼에도 불구하고 많은 교회는 세상을 쫓아 세상의 넓은 길인 배도의 길을 걷고 되는 것은 아닌지 염려스럽다.

> 좁은 문으로 들어가라 멸망으로 인도하는 문은 크고 그 길이 넓어 그리로 들어가는 자가 많고 생명으로 인도하는 문은 좁고 길이 협착하여 찾는 자가 적음이라 거짓 선지자들을 삼가라 양의 옷을 입고 너희에게 나아오나 속에는 노략질하는 이리라 마태복음 7:13-15

또한 1989년 '아르투로 디 모디카'(Arturo Di Modica)라는 조각가가 3톤이 넘는 청동으로 제작한 청동 황소 상을 월 스트리트 가에 세웠다. 그 이름을 '챠징 불' 즉, '책임지는 황소'라고 하여 월가에서는 '번영의 상징'으로 삼았다.

> 자기를 위하여 송아지를 부어 만들고 출애굽기 32:8

바로 출애굽 당시의 우상숭배가 오늘날에 이르기까지 동일하게 이 땅의 문화를 지배하게 된 것이다. 과거 시내산 밑에서 부어 만든 그 송아지가 황소로 자라나 뉴욕의 월가에 버젓이 버티고 서 있더니, 이러한 우상숭배 문화는 마침내 2008년 미국 금융위기를 시작으로 세계적 대재앙을 불러들인

▌유럽연합의 황소　　　　　　　▌뉴욕 월가의 황소

것이다.[38] 이렇듯 고대로부터 이어져온 사단 숭배 사상은 21세기 미국을 완전히 덮고 있다. 그들은 전 세계의 금융, 산업, 학교, 문화, 식량 등 모든 부문을 장악하고 현재 신세계질서의 완성을 준비하고 있다.

　이 모든 것은 하나님을 대적하는 문화에서 비롯되었으며 그 중심에는 자칭 유대인이며 사단의 회당의 대표 주자인 로스차일드와 록펠러가 있다. 이렇듯 조금만 관심을 갖고 눈을 열면 '숨어있는' 사단숭배 집단이 우리의 삶 가운데 이미 깊숙이 들어와 있는 게 보인다. 이러한 세계를 만들어가는 집단은 자신들의 꿈인 세계단일정부를 일컬어 "New World Order"라 부른다. 이것은 인류 타락 이후 하나님을 저항하는 '니므롯'에서 시작된 '신 바벨탑 건설'을 의미한다.

제 2 장

세계정부의 핵심목표
: 완전한 감시사회를 위하여

완전한 감시사회를 위하여

빅 데이터 시대와 통제 권력

KBS 한국방송에서 방영된 〈감시의 눈〉

정보의 통합과 통제가 현실화되는 사회 : 빅브라더 사회

국내 빅5 병원 스마트 병원 시스템에 올인

완전한 감시사회를 위하여

'파놉티콘'은 '한눈에 전체를'(pan-), '들여다본다'(-opticon)는 뜻의 라틴어 조합
어로 영국의 철학자 제러미 벤담(Jeremy Bentham)이 죄수를 효과적으로 감시
할 목적으로 고안한 원형 감옥을 뜻한다. 이 감옥에는 중앙에 원형 감시탑
이 있고 그 둘레에는 반지처럼 죄수들의 방이 들어선 것이 특징이다. 벤담
의 말에 따르면 '아주 단순한 건축 아이디어'에 지나지 않지만, 기존의 어떤
감옥과도 다른 혁명적인 구상이었다. 이 구성의 핵심은 '시선의 불평등 교환'
에 있다. 중앙의 감독관이 머무르는 감시탑 안은 밖에서 들여다볼 수 없지
만, 감옥 내부는 감시탑에 서면 훤히 들여다보인다. 중앙의 감시탑은 늘 어

┃ 파놉티콘이 적용된 쿠바 프레시디오 모델로 감옥의 내부

둡게 하고, 죄수자의 방은 밝게 하기 때문이다. 여기서 예기치 않은 권력효과가 나타난다. "감독관이 자리에 없더라도 있다고 여겨 실제로 자리에 있는 것 같은 효과를 내기 때문이다." 감시탑 안에 감독관 대신 다른 사람이 있더라도 수감자는 그가 누구인지 알 수 없기 때문에 감시효과는 동일하다. 이에 따라 죄수들은 자신들이 늘 감시 받는 느낌을 갖게 되고, 결국 시선을 내면화해 자기 자신을 감시하며 그 감시에 복종한다. 즉, 제러미 벤담이 추구하는 최소한의 노력으로 최대의 효과를 누리는 완벽한 통제장치인 셈이다. 벤담은 파놉티콘을 사회 구성의 표준 모델이자 보편원리로 이해했다.

> 파놉티콘의 원리는 감시와 경제성을 연결하는 거의 모든 시설에 성공적으로 적용할 수 있다. 파놉티콘식 공장은 한 사람이 수많은 작업을 효율적으로 감독하는 '진정한 산업 건물'이 될 수 있으며, 파놉티콘식 병원은 청결, 환기, 의약품관리에서 어떤 소홀함도 허락하지 않는 최상의 병원 모델을 제공한다.[39]

21세기 이 모델은 IT기술이 접목되면서 학교, 군대를 넘어 사회 전체를 효과적으로 통제하는 시스템으로 발전하고 있다. 사회학자 김광기 교수는 그의 저서 『우리가 아는 미국은 없다』에서 9/11 테러 이후, 한때 가장 자유로운 사회가 급격히 감시와 통제사회로 후퇴하고 있다고 다음과 같이 경고한다.

> 이제 모든 승객은 잠재적인 테러리스트로 간주된다. 지문을 채취하고 홍채를 찍고 짐 검사를 샅샅이 하고 몸까지 전신 스캐너로 찍는다.

그러나 이러한 감시사회는 편리함으로 달콤하게 포장되어 우리에게 다가온다.

당신이 상점에서 물건을 들고 계산대 앞을 지나가기만 하면 물건 값이 저절로 계산되고 결제가 이뤄진다. 길거리 버스정류장에 다가가자 버스 도착정보가 확인되고 그저 타고 내리기만 하면 요금이 계산된다. 핸드폰은 집 근처 정류장에 곧 도착할 것이라고 알려준다. 당신이 집 가까이에 접근하자 집의 공조 시스템은 활발하게 가동되기 시작한다. 에어컨, 보일러, 조명, 가습기가 작동되면 온도와 습도가 맞춰진다. 현관문을 잡는 순간, 집 주인임을 인식하며 문이 열린다. 어린이와 노인들에게는 위치보호 안심 서비스가 제공되고, 더 이상 지갑을 들고 다닐 필요가 없이 본인 신원만 확인되면 전자결재가 된다. 국세청은 탈세를 막고 세수확보에 너무나도 효과적인 이러한 전자결재 시스템을 환영하고 있다.

이런 영화 같은 상황이 실제 우리의 삶 가운데 현실화 되고 있다. 그러나 이것은 유비쿼터스 컴퓨팅(Ubiquitous Computing)환경이 만드는 '멋진 신세계'이다. 모든 사물에 칩(chip)이 내장되어 있고, 모든 사물은 컴퓨터가 되며, 원격으로 네트워킹된다. 컴퓨터는 도구가 아닌 환경이 되는 것이다. 사람이 컴퓨터를 조작하는 것이 아니라 컴퓨터로 짜여진 새로운 환경 속에서 사람들이 살아가게 되는 것이다.

그러나 이러한 유비쿼터스 사회에 완벽하게 진입하기 위해서는 조건이 필요하다. 모든 물건들이 당신이 정확히 누구인지 확인해야 한다. 이것을 위해 세계정부를 만들어 가는 자들은 사회 각 분야에서 여론을 형성하며 RFID 기반의 생체인식 칩을 만들었다.

즉, 각 개인이 어디에 있고, 무엇을 하며, 무엇을 생각하든지 각 사람이 소유한 물건들은 개인의 정보를 담고 있고 그 취향에 맞춰 작동하게 되는 유비쿼터스 환경은 우리에게 멋진 신세계로 비춰진다. 그러나 정반대의 측면에서 볼 때, 이것은 당신의 정보가 보호되지 못하고 어디론가 빠져나가 기록되고 있다는 뜻이기도 하다.

누군가가 당신의 정보를 보고 있다면? 유비쿼터스 사회가 만드는 멋진 신세계는 동시에 완벽한 감시사회이다. 유비쿼터스 사회는 우리에게 놀라운 편리함을 약속하지만, 어느 시대에서도 볼 수 없었던 완벽한 통제사회이다. 만약 이러한 사회를 만들어 가는 설계자들이 있다면, 그런 소수의 정보를 지배하는 자들이 어느 날 갑자기 숨 막히는 감시와 억압이 팽배한 사회로 급격히 전환한다면 그 숨막히는 체제가 얼마나 파괴적인 영향력을 행사할지 우리는 고려해 보아야 한다.

여기서 이야기하는 디지털 감시 시스템은 서울 강남 골목골목에 설치된 수많은 CCTV를 말하는 것이 아니다. 또한 당신과 내가 나누는 휴대전화 통화 내용을 그 누군가가 녹음하고 있거나 엿듣고 있음을 지적하는 것이 아니며 삭제한 이메일마저도 그 어딘가에 저장되어 있어서 수사기관이 원한다면 모든 이메일이 압수대상으로 쉽게 전락할 수 있음을 말하는 것이 아니다. 인기 검색어 순위가 법적 근거 없이 모 포털사업자에 의해 조정되고 있다는 것과 같이, 개연성은 매우 높으나 사실관계를 정확하게 확인할 수 없는 주장을 되풀이하는 것도 아니다.

점차 대중화 되고 있는 스마트폰이 트위터, 페이스북, 구글 등 일련의 서비스를 만나면서 새로운 디지털 감시세계가 알을 깨고 천천히 그 본모습을 드러내고 있다. 스마트폰으로 찍은 사진과 동영상을 트위터, 페이스북, 유튜

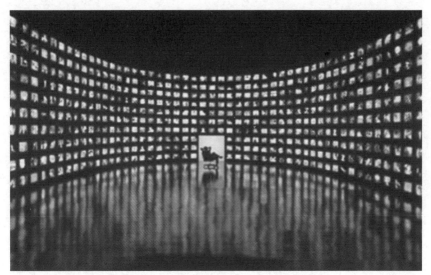

▌소셜 네트워크의 시대, 우리는 우리 스스로 빅브라더의 세계로 들어가고 있다

브 등 '인터넷 구름'(Cloud)의 구석구석에 올리고 공유하는 것이 빠르게 확산되고 있다. 그러한 모든 정보들이 클라우드에 모아지고 있다. 다시 말해 모든 정보가 통합되고 있는 것이다. 그리고 이러한 정보들이 모여 21세기 정보 감시사회인 파놉티콘이 완성되고 있다.

바로 이렇게 우리는 우리 스스로의 행위를 통해 빅브라더(Big Brother)의 세계로 들어간 것이다. 이것이 바로 기술의 진보가 가져다주는 '긍정적인 유용성' 뒷면에 도사리고 있는 어두운 그림자이다.

빅 데이터 시대와 통제 권력

매년 1월~2월 스위스에서 개최되는 다보스포럼은 이 세상을 지배하고 있는 국제유태그룹의 빌더버그 회의를 통해 결의된 안건을 각국의 리더쉽들에게 설명하는 모임으로 각국의 기업가, 정치가, 학계는 이에 주요한 관심을 갖는다.

2012년 다보스포럼의 키워드는 빅 데이터(Big Data)가 새롭게 등장했다. 수년전 다보스포럼의 키워드였던 소셜 미디어, 모바일 등은 이미 우리 사회의 주류가 됐듯이 빅 데이터도 곧 우리 사회에 막강한 영향을 미치는 핵심 용어가 될 것이다. 2011년에 발표된 IDC(International data corporation)의 연구 조사에 의하면 2011년에만 1.8제타바이트(1조8천억 기가바이트)이상의 정보가 생성되었고, 향후 정보의 양은 기하급수적으로 증가할 것이라고 예측했다. 과거 산업혁명에서는 석탄과 철이 주요한 역할을 담당했던 것처럼, 오늘날의 지식 정보화 사회에서는 빅 데이터의 분석 능력이 새로운 형태의 자산(asset)으로 평가될 것이다. 이러한 빅 데이터 산업은 모든 산업분야에 깊이 있게 침투되어 모든 정보를 생산, 가공, 관리, 통제하는 과정으로 발전하게 될 것이며, 모든 산업분야의 정보는 유기적으로 통합되어 완벽한 유비쿼터스 사회의 진입을 촉진할 것이다.

유비쿼터스 사회란 "이 땅에 모든 곳에 하나님이 계시다."라는 뜻의 라틴어지만 21세기에는 컴퓨팅이 하나님 대신 모든 곳에 존재한다는 것이다.

_진대제 전 정보통신부 장관

빅 데이터(Big data) 사회는 풍요롭지만 조지 오웰의 소설 1984년을 생각나게 한다. 모든 사람의 일거수일투족을 감시하는 미래 통제 권력 사회는 다름 아닌 디지털 사회에서 남겨질 수 밖에 없는 개인의 흔적 때문이다. 완벽한 유비쿼터스 사회는 종이 한 장 차이로 완벽한 통제 사회와 맞닿아 있기 때문이다.

많은 사람이 빨리 왕래하며 지식이 더하리라 다니엘 12:4

KBS 한국방송에서 방영된 〈감시의 눈〉

오늘날 감시의 눈이 없는 곳은 없다. 궁극적인 감시기술은 밖에서 지켜보는 것이 아닐 지도 모른다. 단순히 신분 확인 외에도 우리 몸 속의 존재와 우리의 모든 행동을 들춰낼 것이다. 미래의 감시기술을 보기 위해 네덜란드 로테르담에 있는 바하비치 클럽을 찾았다. 이곳은 주변에 흔히 있는 클럽 같지만 이 클럽에는 다른점이 있다. 바하클럽은 다른 손님들과는 달리 VIP 대접을 받는 엘리트 고객들이 있다. 이들은 신분증도 필요 없고 술이나 음식 값을 내기 위해 돈도 필요 없다. 단지 클럽에 들어설 때 스캐너에 팔을 대기만 하면 된다.

21살의 어느 청년은 VIP 명단에 자신의 이름을 넣었다. "왜냐하면 훨씬 편하잖아요. 술이나 먹을 것을 제가 직접 가지러 가지 않아도 가져다주거든요." 그러나 그 명단에 이름을 넣으려면 먼저 의사의 진단을 받아야 한다. 전자 칩을 팔에 이식해야 하기 때문이다. 바로 RFID로 불리는 소형 전자 칩이다. 이 전자 칩은 스캐너가 읽을 수 있는 무선 전자 기기이다. 2003년

각 소형칩에는 고유의 바코드 번호가 있다

에는 멕시코 법무장관과 법무부 일부 직원들이 이 전자 칩을 몸에 이식했다. 보안지역을 통과하기 위해서이다. 시술을 담당한 의료진이 말했다. "처음엔 저도 많은 걱정을 했습니다. 하지만 이게 미래가 아닐까요?"

이 칩에 대해 자세히 알아보자. 각 소형칩에는 고유 바코드 번호가 있다. 스캐너가 읽는 순간, 데이터베이스에 접속하여 이름뿐만 아니라 더 많은 것을 알게 된다. 기술적으로 이 데이터베이스가 저장할 수 있는 정보의 양에는 한계가 없다.

칩을 받은 청년은 곧장 클럽으로 간다. 다른 사람들이 입구에서 입장료를 낼 때 그는 도착하자마자 직원들이 스캐너로 전자 칩을 읽으면 그가 클럽의 VIP고객임을 알아본다. VIP전용 층으로 안내를 받고 칩을 이용해 음료를 계산한다. 바하클럽은 특별한 미래의 모습이 아니다. 이미 많은 사람들이 건강상의 이유로 칩을 이식 받고 있다. 많은 전문가들은 머지않은 미래에 이 칩이 신분증을 대신할 것이라 예상하고 있다. 새로운 감시기술에 동참하는 것이다.

신분 확인용 칩 이식은 시작에 불과하다. 이 칩은 GPS와 결합하여 누가 언제 어디에 있는지를 충분히 알아낼 수 있다. 자녀를 둔 부모나 애완동물을 키우는 사람들은 이미 이러한 칩을 이용해 이들을 추적하고 있다. 미국에서는 7500명의 감시자가 GPS를 통해 전자 감시를 받고 있다. 미래에 모든 시민들에게 전자 칩을 이식하는 것은 시간 문제인 것이다. 과학기술이 공상과학소설에서나 볼 수 있던 일들을 현실로 만들고 있다.

정보의 통합과 통제가 현실화되는 사회 : 빅브라더 사회

전 세계는 컴퓨터로 접속해야만 하는 유비쿼터스 사회로 나아가고 있다. 그리고 이러한 환경에 진입하기 위해서는 반드시 유비쿼터스 사회로 접속하는 코드가 있어야 한다. 따라서 세계정부를 만드는 자들은 전 세계 모든 사람들이 컴퓨팅 사회의 접속 코드인 새로운 신분증을 받도록 하기 위해 사회 모든 분야를 유기적으로 움직이고 있다. 그렇다면 한국의 상황은 어떠한지 살펴보자.

> KT(통신회사)는 BC카드(결재시스템)의 최대주주 지위를 확보함으로써 통신기업으로서는 최초로 카드사 인수에 성공하여 개발한 모바일 결재 등은 통신과 금융의 빅뱅을 알리는 신호탄이 되었다. SK텔레콤은 2009년 말 하나카드의 지분을 인수하여 통신과 금융업계에 미칠 향후 파급력은 더욱 클 전망이다.
>
> _박창욱기자, 『연합뉴스』 2011. 2. 10.

이로써 통신과 화폐결재 시스템이 융합된 것이다. 이는 멀지 않은 미래에 더 이상 우리에게 복제가 용이하고 분실의 가능성이 높은 신용카드가 불필요할 것임을 암시하고 있다. 다시 말하자면, 우리는 지갑을 들고 다닐 필요가 없는 '종이 없는 전자지갑의 사회'로 한걸음 다가서게 된 것이다.

> KT는 2011년 10월24일 연세대학교의료원과 의료-정보통신기술(ICT)융합 사업 협력에 관한 양해각서를 체결했다. 이상훈 KT G&E(Global&Enterprise) 부문 사장은 "양사가 추진하게 되는 사업은 서로 다른 사업들이 융합돼 새

스마트 헬스케어
IT 건강관리 솔루션. 평소 환자의 몸에 생체 칩을 인식하여 실시간으로 환자의 건강상태를 모바일 기기를 통해 체크하는 시스템이다. 당뇨, 심장 박동 등 효과적인 의료서비스를 제공하며 미국ADS의 개발로 현재는 Positive ID (긍정의 칩)이 유일하다.

로운 사업을 창출해 내는 컨버전스(convergence)사업의 모델이 될 것"이라며 KT 클라우드 컴퓨팅과 모바밀 플래폼 등 IT 기술이 의료와 결합돼 새로운 시너지를 만들어 낼 것을 기대한다고 말했다. 이철 연세의료원장 역시 양사는 향후 설립될 합작사를 통해 '스마트 헬스케어'와 '스마트 호스피털'등을 중점적으로 추진할 계획이다.

_이지영 기자, 『블로터닷넷 엔터프라이즈』

NFC (Near Field-Communication)
전자태그(RFID)의 하나로 13.56Mz 주파수 대역을 사용하는 비접촉식 근거리 무선통신 모듈이다. NFC는 결제, 물품 정보, 방문객을 위한 여행 정보 전송, 교통, 출입통제 잠금장치 등에 광범위하게 활용된다.

KT는 최근 스마트폰과 함께 주목받고 있는 IT의 핵심기술인 NFC(Near Field Communication 근거리 무선통신 모듈) 등 무선센서 기술의 미래 활용 모습을 삼성동 코엑스에서 진행되는 RFID/USN KOREA 2011행사에서 선보였다. 디지털 도어락 없이 NFC폰으로 문을 열 수 있으며, NFC를 이용해 버스 도착정보를 확인하고 교통비를 결재한다. 커피숍에서 모바일 스탬프를 찍고, 모바일 쿠폰을 이용해 할인을 받고 NFC전자카드를 통해 결재한다.

_『디지털 미디어 케이벤치』 www.kbench.com

이 기사를 통해 알 수 있듯이 더 이상 아침마다 번거롭게 교통카드와 지갑을 챙길 필요가 없다. 가볍게 NFC기능의 스마트폰 하나만 챙겨 나오면 된다. 이런 편리한 사회 속에서 소수의 엘리트들은 핸드폰 분실과 복제의 위험성을 부각시켜 그 대안으로 국제 기준을 통과한 체내 인식 생체 칩을 대중들로 하여금 자연스럽게 환영하며 받아들이도록 할 것이다.

그것은 마치 아담에게 선악과를 주며 하나님으로부터 자유를 주겠다고 거짓말한 '옛 뱀'과도 같이 오늘날 세계 질서를 조정하는 사람들이 모든 사람을 '자유와 편리함'이란 이름으로 유혹할 것이다. 하지만 이제 사람들은 이 사회가 완벽한 감시와 통제 체제로 변화될 것임을 곧 깨닫게 될 것이다. 이러한 사회를 조작하고 계획한 이들이 바로 세계를 주름잡고 있는 보이지 않는 정부의 실체, 곧 자칭 유대인 집단임을 정확하게 인식한다면 일상적인 사건에 우연한 변화가 없음을 깨닫게 될 것이다.

국내 빅5 병원 스마트 병원 시스템에 올인

국내 '빅(Big)5' 대형 병원들이 최근 최첨단 디지털 의료기술로 무장한 '스마트 병원' 설립을 비롯해 의료산업화 경쟁에 본격적으로 뛰어들고 있다. 스마트 병원은 세계 최고 수준인 한국의 정보통신 기술을 병원의료기술과 결합해 각종 진료와 검사를 가능하도록 하기 때문에 '미래의 병원'으로 불린다. 스마트 병원의 단적인 사례는 IT기술의 핵심 가운데 하나인 RFID '칩'(chip)을 통해 구현될 수 있다고 전문가들은 말한다. 혈압, 혈당 같은 건강 정보와 유전 정보를 체크할 수 있는 칩을 환자의 몸에 심으면 이 칩이 환자의 각종 건강 정보를 읽어내 디지털 신호로 병원에 전달한다. 의사는 마이크로 칩이 보내온 정보를 분석해 환자의 약 복용과 건강관리에 필요한 정보를 환자에게 휴대전화로 처방하는 식이다. 공간을 초월한 의료 행위가 이뤄지는 것이다.

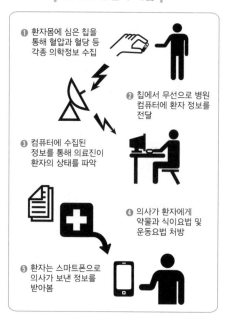

| 스마트 병원의 개념 |

❶ 환자몸에 심은 칩을 통해 혈압과 혈당 등 각종 의학정보 수집

❷ 칩에서 무선으로 병원 컴퓨터에 환자 정보를 전달

❸ 컴퓨터에 수집된 정보를 통해 의료진이 환자의 상태를 파악

❹ 의사가 환자에게 약물과 식이요법 및 운동요법 처방

❺ 환자는 스마트폰으로 의사가 보낸 정보를 받아봄

실제로 국내 '빅5' 병원들은 이달 들어 숨 가쁜 경쟁에 돌입했다. 서울대병원은 2011년 10일 10일 SK텔레콤과 합작해 올해 안에 IT기반의 건강관리의료 회사를 설립한다고 밝혔다. 이틀 뒤인 12일엔 서울 아산병원이 2년간 1,500여억 원을 투자한 '아산생명과학 연구원' 설립을 완료하고 단일병원으로서는 세계 최대 규모로 미 하버드 의대 암 연구소와 포스텍, 카이스트 등 국내외 연구진은 물론 첨단 바이오기술을 보유한 벤처 산업분야의 연구진과 긴밀한 연구협력을 진행할 예정이라고 말했다.

삼성그룹은 10월 26일 세계 최고 수준의 건강관리의료 병원을 목표로 전문경영인 윤순봉 삼성석유화학 사장을 삼성서울병원 지원총괄사장에 전격 임명하였고 신촌 세브란스 병원은 이튿날인 27일 KT와 공동으로 스마트병원을 개발하기 위해 양해 각서를 체결했다.

_이지혜기자, 『조선일보』 2011. 10. 31.

한나라당 박근혜 전 대표는 당 대표시절 국회 교섭단체 대표연설을 통해 상습 성폭행범에 대해 전자 칩이나 전자 팔찌를 채워야 한다고 주장했다.[40] 같은 해 4월 26일 한나라당은 성폭력 범죄를 한차례 이상 저지른 범죄자를 상시 감시하기 위해 전자 칩이 부착된 팔찌를 채우는 전자위치 확인제도를 당론으로 결정하였고 그 법안은 통과되어 실제 시행되고 있다. 그런데

헬스케어 의료산업에 뛰어든 국내 '빅(Big)5' 병원	
서울대병원	• SK텔레콤과 합작해 '스마트 병원' 설립 추진 중 • 환자 몸에 칩(Chip) 삽입한 뒤 원격진료 등
신촌세브란스병원	• 스마트 병원 개발을 위해 KT와 MOU 체결(10월24일) • CJ와 비만 예방 식단 상품 공동 개발
서울아산병원	• 1500억원 들인 아산생명과학연구원 가동(10월12일) • 암 같 뇌졸중 같 노화 같 비만 및 당뇨 등 연구
삼성서울병원	• 윤순봉 지원총괄사장 임명(10월 26일) • 글로벌 바이오 · 헬스케어 시장 개척
서울성모병원	• 환자 원격 치료 등 가능한 '디지털 병원' 5년 내 건립

범죄자들이 전자 팔찌를 끊고 재범을 시도하는 사례가 발생하자, 외관상 보기에 좋지 않고 외부의 물리적 힘으로 끊을 수 있는 현행 전자팔찌보다 효과적인 전자 칩을 삽입하는 것이 더욱 효과적이라는 여론이 형성되고 있다.

점점 개인을 확인하는 생체정보산업이 발전하고 있고 그 종국에는 세계단일정부의 일괄적인 화폐결재, 본인확인, 의료보건, 군사안보 등이 집약된 생체 칩을 개개인에게 이식 할 수밖에 없는 사회로 날마다 나아가고 있다.

개인 정보가 수많은 데이터베이스에 기록되고 있다는 사실도 걱정스러운 일이지만, 그러한 각각의 개인 정보가 하나로 통합되어 거대한 슈퍼 데이터베이스가 된다는 것은 그야말로 심각한 일이다. 개인의 직업이 무엇이고 소득이 얼마인지, 어디에 있는지, 언제 어디로 무엇을 타고 이동했는지, 누구와 얼마나 통화했는지, 어디서 무엇을 샀는지, 소비 수준은 어느 정도인지 등은 어떤 한 개인의 일상적 단면에 불과하다. 하지만 이러한 단면들이 한 집합체 안에 묶이면 그것은 그 자체로 개인의 전체가 될 것이다. 문제는 이

것이 타인에게 은밀하게 혹은 공식적으로 노출되는 것에 있다.

이 모든 기술들은 안전, 보안, 편리, 신속, 효율 등의 이유로 도입된다. 그러나 이러한 목적들은 감시와 통제라는 목적과 그다지 멀리 떨어져 있지 않으며, 이러한 기술들은 언제든지 감시 통제 시스템으로 돌변할 수 있다. 아직 아무도 유비쿼터스 환경의 실체를 온전히 알지 못한다. 그것이 가져다줄 안전, 보안, 편리, 신속, 효율 등의 장점들은 굳이 들으려 하지 않아도 여러 가지 통로를 이용해 우리는 듣게 되지만, 그것이 우리에게 어떠한 영향과 재앙을 가져다 줄 것인지는 많이 알려져 있지 않다.

세계단일화를 준비하는 소수의 지배세력들은 모든 사람들에게 생체 칩을 주입하여 통제하길 원한다. 그 과도기의 시점인 현재 미국 정부는 운전면허증, 여권 등과 같은 신분증에 RFID를 내장한 전자 신분증을 요구하고 있다. 대한민국도 이미 RFID가 내장된 전자 여권을 시행중에 있다.

이렇게 신분증을 만들고 신분증에 내장된 RFID 칩을 읽는 감지기만 있다면, 신분증 소지자는 동의 없이 자신의 모든 정보를 원하지 않는 이에게 제공하는 꼴이 된다. 그가 누구이며 직업, 나이, 주소, 그 외의 모든 생체 정보까지 그 칩에 담긴 각 개인에 관한 모든 정보가 감지기를 가진 사람에게 고스란히 제공되는 완벽한 감시사회로 진입하고 있다는 것이다. 따라서 시위나 집회 장소에 경찰이 감지기만 들고 주변에서 서성거리기만 해도 집회 참가자들의 신원은 쉽게 파악될 수 있다. 이 모든 과정이 이미 준비되었고, 전 세계적으로 확산될 일만 남아있다.

미국 정부가 대테러활동을 위해 시행 중인 조치들을 살펴보면 모두 '익명성 소거'로 수렴된다. 익명성의 상실은 곧 사생활의 상실을 의미한다. 결국 개인의 자율과 자유가 제거되어 보이지 않는 감옥 사회에 살게 되는 것이다. 혹자는 어떤 비리도 없는 투명한 사회가 되지 않겠느냐고 반문할 수 있다. 하지만 누구에게 투명한 사회가 될지는 따져 보아야 한다.

이러한 감시사회는 어느 날 갑자기 만들어진 개념이 아니다. '감시자'라는 개념은 상업적 체제가 구축하는 경제적 필요 즉, 기존 물체의 생산시간과 집단이 부담하는 비용을 최소화하고, 네트워크 역량과 시간 활용을 극대화하며 욕망과 요구를 사업적 부로 환원시키고자 하는 긴박한 필요성에 부응하는 개념이다. 이것은 프랑스 경제학자로서 '현존하는 프랑스의 지성'인 자크 아탈리(Jacques Attali)가 정의한 개념이다. 그는 '하이퍼 감시'와 '자기 감시'라고 부르는 두 단계를 거쳐 감시자 체제가 정착하게 될 것이라고 말한다.

과거의 권력은 칼과 총으로부터 나왔으나, 현대의 권력은 새로운 감시체제가 동원되어 정보의 격차를 통해 현대판 파놉티콘 사회가 형성되고 있는 것이다. 새로운 감시체제와 통제는 현재를 사는 우리들을 새로운 권력에 길들이면서 자신들도 모르게 그러한 권력 체계에 종속되도록 하고 있다.[41]

이 모든 사회를 설계한 자들이 바로 하나님을 대적하며 오늘날 제2의 바벨탑을 준비하는 자로서, 세계단일정부운동을 진행하고 있는 '자칭 유대인 집단'인 것이다.

제 3 장
세계정부수립을 위한 세부진행과정

동성애의 합법화와 기독교의 불법화
UFO 가짜 외계생명체의 조작과 세계정부

동성애의 합법화와 기독교의 불법화

2011년 10월 5일, 경기도와 광주광역시에 학생 인권 조례안이 통과된 데이어, 2011년 12월 19일에는 '서울 학생 인권 조례안'이 제정되었다. 서울 학생 인권 조례안에는 다음과 같은 내용을 담고 있다. "간접체벌금지, 두발과 복장의 전면 자율화, 학내 정치활동 허용, 동성애와 임신, 출산 등을 이유로 한 차별 금지." 이런 내용은 인권이라는 이름으로 교묘하게 설명되어 있지만, 그 본질은 기독교 가치관의 불법화이다.

이제 학교에서 동성애를 잘못된 것이라고 가르치는 것은 인권침해가 되며, 더 나아가 동성애는 인류의 사회학적 진화에 있어서 다양성을 갖게 하는 매우 중요한 요소가 된다. 또한 학교에서는 우리 사회가 서로의 다양성을 인정할 때 보다 성숙한 사회로 나아갈 것이라고 가르칠 것이며, 정부는 기독교로 하여금 더 이상 종교적 양심에 의해서 동성애를 비방하지 못하도록 법적인 조치를 취할 것이다. 그러한 이유로 현재 '예수만이 구원'이라는 기독교적 진리는 타 종교에 대한 인권 침해 요소로 판단되어지고 있다.

미국에서는 증오 범죄 법(Hate Crime Law)이 2009년 10월 23일에 S. 909로 하원에서 통과 되었고 오바마 미대통령은 2009년 10월 28일에 해당 법안에 서명하였다. 이에 따라 미국 사회에서 동성애를 이유로 차별하거나 성경에 근거하여 잘못된 것이라고 설명하는 것은 법률에 저촉되는 행위가 되었고 기독교의 양심을 지키는 것은 이제 불법화 되었다. 이러한 연방 증오 범죄 법에 대해 '미디어 연구소'의 밥 나이트는 다음과 같이 설명한다.

"그러한 운동가들의 최종 목표는 기독교의 범죄화입니다. 왜냐하면 만일 전통적 윤리관, 즉 성경적 도덕관을 증오, 편협, 또는 인종차별과 같은 형태라고 주장하면서 인권 평등 법안마저 정부의 손에 넘겨주면, 기독교의 기본적 도덕 가치관은 범죄화 되는 것이죠."

이 모든 것은 급진파의 의제를 진척시키기 위한 것입니다. 이 점을 국민들과 특히 교회가 꼭 알아야 합니다. 증오 범죄법은 첫걸음인 것이고 결국엔 이 나라 교회의 입을 막는 것입니다. 이건 단지 이론이 아니에요. 사람들이 "우리나라는 그렇게 되지 않을 거야"라고 생각하지만 영국도 그렇게 되었고 호주, 캐나다, 미국 등 여러 도시들 또한 이미 그렇게 변했죠. 증오 범죄법은 증오 발언 즉, '기독교 가치관의 불법화' 바로 전 단계인 것입니다.

_미국 가정 연구회장 토니 퍼킨스

소돔과 고모라에 하나님의 심판이 임하기 직전 상황을 보면 그곳에는 동성연애가 사회에 만연했음을 알 수 있다.

그들이 눕기 전에 그 성 사람 곧 소돔 백성들이 무론 노소하고 사방에서 다 모여 그 집을 에워싸고 롯을 부르고 그에게 이르되 이 저녁에 네게 온 사람이 어디 있느냐 이끌어내라 우리가 그들을 상관(성교, 동성애)하리라 개역한글, 창세기 19:4-5

또 롯을 때와 같으리니 사람들이 먹고 마시고 사고 팔고 심고 집을 짓더니 롯이 소돔에서 나가던 날에 하늘로서 불과 유황이 비오듯 하여 저희를 멸하였느니라 인자의 나타나는 날에도 이러하리라

개역한글, 누가복음 17:28-30

❶ 세계정부의 세부 계획	⑫ 성의 상품화 강화, 동성애 합법화
❷ 세계단일정부 수립	⑬ 기독교 불법화
❸ 세계단일 통화제도	⑭ 공업산업사회 파괴
❹ 전 인류의 바코드화	⑮ 모든 자원에 대한 독점
❺ 민족성 파괴, 특정종교국가 해체	⑯ 식량산업 완전장악
❻ 중산층을 없애고 지배자와 피지배자로 분리	⑰ 세계 모든 금융시스템 장악
❼ 세계정부에 복종하는 자만 생계수단을 부여	⑱ 사회복지제도의 파괴
❽ 가정의 파괴, 동성결혼 허용	⑲ 국제사법재판소의 권한 강화
❾ 악마주의, 사탄숭배문화를 문화의 다양성과 열린사고라는 관점에서 확산	⑳ 현금거래 불법화 전산거래만 허용(해킹의 위험증가)
❿ 사립학교와 종교기관에서 운영하는 학교 패쇄 및 공교육 강화	㉑ 인위적인 식량 및 금융통제로 대다수의 세계시민이 세계정부를 요구하는 여론 형성
⑪ 세계정부의 최상부에는 종신제 소수 세습지배제도 구축	㉒ 우주개발과 UFO확산으로 기존 종교 가치관 파괴

UFO 가짜 외계생명체의 조작과 세계정부

'신세계질서' 주의자들은 대중들을 혼란시키며 기만하기 위해 오래 전부터 많은 기술을 준비하였다. 그 중의 중요한 도구 중 하나는 마지막 때 대중을 미혹하는 소위 'UFO실험'이다.

오늘날 뉴스를 보면 UFO에 대한 기사의 출현 빈도수가 굉장히 늘어나고 있음을 알 수 있다. 이는 신세계질서를 준비하는 자들이 마지막 때에 기독교의 정체성 혼란을 조장하기 위해 논의된 우주 생명체로서, 이것은 1950년대부터 치밀하게 준비된 비밀과학 기술 작업이다. 오늘날 목회자나 교회 성도들과 대화를 하다보면 겉으로는 UFO의 존재를 부인하는 듯하지만 상당히 많은 분들이 외계생명체를 믿고 있고, 심지어 예수님이 외계로부터 왔다는 사이비 종교가 세계적으로 대단한 관심사가 되고 있다.

외계생명체를 통한 지구적 위협을 부각하여 신세계질서(단일세계)를 만들어 가는 전략은 1917년부터 이론적으로 준비되기 시작했다. 그리고 그 이후 구체화 작업에 들어갔다. 즉 인위적으로 외계의 위협을 만들어서 전체주의적 세계단일정부의의 필요성을 부각시키려는 의도이다. 1917년 일본제국 사절단이 뉴욕시에 있었을 때 만찬석상에서 미국의 공교육 시스템을 만든 콜롬비아 대학 존 듀이는 다음과 같이 연설하였다.

> 혹자가 말했듯이, 지구상의 모든 나라를 연합시키는 최고의 방법은 다른 행성으로부터의 공격입니다. 이렇게 가상적으로 외계인이라는 적을 직면하면 사람들은 서로의 이익과 목적이 공통됨을 인식하여 그에 대응할 것입니다.
>
> _콜롬비아 대학교수 존 듀이

이들은 바로 절대적 소수 집단인 세계단일정부의 통치와 다수의 대중 노예화를 통해 영구적인 평화가 유지될 것이라 본 것이다. 이를 위해 이들은 다른 행성의 생명체가 지구를 파괴할 것이라는 위기의식을 조장해야 했다. 이에 따라 다른 행성의 생명체에 의한 지구 파괴의 위험에 대항하기 위해서 '전쟁의 정치적 대체재'(代替財)를 개발하는 것은 평화를 갈망하는 인류의 희망을 하나로 연합시킬 수 있다. 이로 인해서 그들의 세계 단일화 프로젝트 전략은 좀 더 손쉽게 이루어 질 준비가 되었다.

그들은 전쟁의 효과적인 정치적 대체재를 위해서 대체재 중 일부만이 완전한 단일체제를 구축하기에 어려움이 있다고 판단했다. 예를 들어 '전 지구적인 환경 공해'는 지구 단일화를 이루어가는 부분적인 요소로서 작용될 수 있으나, 결정적으로 사람들을 집결시키기에는 이보다 더 비중 있는 대체재가 절실하게 요구되는 경우가 그러하다.

단일사회의 자연스러운 도출 과정으로 연출하기 위한 신세계질서 준비자들은 오랫동안 각 방면에서 이러한 대체재들을 치밀하게 준비해왔고 이는 성경에서 말하는 적그리스도의 통치 시대가 다가오고 있음을 예고하는 것이다. 이렇게 인위적인 조작을 통해 사회조직과 정치권력을 통합하려는 지배자들은 자신들을 위한 평화가 영원토록 지속되는 세상을 계획해왔다. 그리고 그것은 21세기 우리의 삶 속에서 자연스럽게 진행되고 있다.

1950년대부터 시작된 대중매체에 의한 수많은 UFO와 외계생명체에 대한 이야기는 반세기가 지난 오늘날 대중들의 잠재의식 깊은 곳에 들어와 그것을 실질적인 존재로 인식할 만큼 긍정적인 효과를 나타내고 있다. 결국 이 모든 프로젝트의 주요 목적 중 하나는 기독교인들의 신앙의 정체성을 혼란시키는데 있다.

이제는 주요 언론을 통해 외계생명체가 있다는 것을 보도하고, 세계기후협회는 이산화탄소 때문에 지구가 온난화되고 있다는 주장을 하고 있다. 이에 따라 이들은 전 세계를 탄소세를 통해 초국가적인 세금 시스템을 구축하려는 과정을 진행하고 있다. 그러나 성경에 기초하여 오늘날의 사회를 이해한 기독교인들이 신세계질서의 유혹을 거스르며 짐승의 표를 거부할 때, 그들을 향해 지배계층은 협박과 위협 등으로 분노를 표출할 것이다. 외계로부터의 인공적인 위협은 기독교인을 박해하려는 거대한 목적과 함께, 전 지구적인 단일사회로 진입하려는 전략에서 비롯된 것이다.

언제가 될지 모르지만 외계생명체가 지구를 찾아올 것을 대비해 유엔이 손님맞이 준비에 나섰다. 영국 일간 텔레그래프 인터넷 판은 26일 유엔이 외계생명체가 접촉해올 경우 첫 접촉창구 역할을 할 담당자로 마즐란 오스먼 (58.여) 유엔 외기권사무국(UNOOSA) 사무국장을 임명할 예정이라고 보도했다. 이제 지구에 첫발을 내디딘 외계생명체가 "당신의 지도자에게로 데려가 달라."고 요청하면 오스먼 국장에게 안내하면 되는 것이다.

이런 유엔의 움직임은 외계생명체가 접촉해 왔을 때 조직화된 인류의 반응을 보여주기 위한 것으로, 최근 지구 이외에 다른 별을 도는 수백 개의 행성이 발견되면서 외계생명체의 존재 가능성이 더욱 커진 가운데 나왔다.

오스먼 국장은 자신이 맡게 될 새로운 업무에 대한 구체적인 내용을 다음 주 버킹엄셔에서 열리는 영국 왕립협회 컨퍼런스에서 밝힐 예정이다. 말레이시아 출신의 천체물리학자인 오스먼은 만약 외계생명체가 접근해 온다면 "우리는 이 사안의 민감성을 모두 고려한 조직화된 반응을 준비하고 있어야 한다."고 말했다. 유엔 외기권사무국에 이 같은 임무를 부여하는 것에 대해서는 유엔 과학자문위원회 차원의 논의가 진행된 뒤 궁극적으로 유엔 총회에서 논의될 예정이다.

레이건 미국 대통령은 집권 당시 6번의 연설에 걸쳐서 다른 행성으로부터 온 다른 생명체에 의한 위협을 구체적으로 언급하였다.

우리에게는 외부의 우주적 위협이 필요한 것인지도 모릅니다. 저는 때때로, 우리가 이 세상 밖으로부터 온 외계의 위협에 직면한다면 우리들의 차이점들이 얼마나 신속히 소멸될 것인가 생각하고는 합니다.

_레이건 대통령 UN 발표

타 행성으로부터의 위협이 있을 것이란 대중에 대한 조작은 2000년대를 기점으로 수많은 헐리우드 영화의 주요 소재를 살펴봐도 확연히 드러난다. 이에 따라 현실 세계와 사이버 세계의 경계선이 허물어지고 있다. 외계생명체의 공격과 지구적인 대환란이 거대한 영화를 통해 무차별적으로 대중의 의식 속에 잠재하게 되면 어느 날 이와 비슷한 상황이 연출될 경우 집단의 방향성을 영화의 각본처럼 통제할 수 있게 되는 것이다.

이것은 세계 역사상 가장 성공적이며 정교한 마인드 컨트롤 작전이지만 우리 모두는 이러한 세계적 변화에 잠들어 있는 상태이다. 이것은 세계단일 정부의 계획을 실현할 수 있고, 사람들의 마음속에 외계인의 위협을 받고 있다는 생각을 심을 수 있는 좋은 방법이다. 또한 누군가 이것에 의문을 제기하거나 도전하거나 공개적으로 이야기를 하고 싶어 한다면 비웃음을 당할지도 모른다는 위장된 두려움을 조장하여, 그 기만적 두려움과 위협을 통해서 그들은 힘을 발휘하려는 것이다.

> 국가들과 모든 기존 종교를 해체시키고 전체적인 사회주의 세계정부를 수립해야 합니다.
>
> _윌리엄 쿠퍼(William cooper, 1943-2001)

이는 마귀의 속성을 그대로 모방한 사회통제 시스템인 것이다. 사단 마귀 자체는 실제적으로 사람의 두려움에 근거하여 그 영향력을 행사한다. 그래서 마귀를 숭배하는 자들은 집단 내에 팽배한 두려움을 더 확장시킴으로써 사단이 그들 안에 강력한 영향력을 행사하도록 하는 것이다. 우리는 이러한 것에 기독교인의 정체성을 혼란시키려는 목적이 있음을 깨닫고 바른 분별력과 지혜가 필요함을 인식해야 한다. 또한 이러한 기만적 영향력은 불법적인 통치이며 바로 그러한 불법적 통치에 대항하여 우리는 다니엘과 같이 금 신상 앞에 무릎을 꿇지 않고 예수 그리스도만을 위하여 '사랑이 죽음보다 강하다'는 순교적 정신의 믿음을 지켜 나가야 하는 것이다.

제2부

세계정부를
만들어가는 사람들

제1장
세계의 돈을 지배하는 사람들
: 국제유태자본

| (위)로스차일드 가문의 문장 (아래)다섯 개의 화살은 로스차일드의 다섯 아들을 의미한다

로스차일드 가문이 그들의 절대적 영향력에 비해 대중에게 별로 알려진 것이 없다는 것은 매우 아이러니한 일이다. 로스차일드 가문은 19세기 영국, 프랑스, 독일, 오스트리아, 이탈리아 등 유럽의 주요 국가의 화폐 발행권을 지배한 최대 금융 산업 독점 그룹이었다. 이들은 오늘날 영국, 프랑스, 독일을 중심으로 유럽중앙은행(ECB)의 유로(Euro)화 발행권을 지배하고 있다. 또한 이들은 미국의 연방준비은행(FRB)의 최대 주주이며, 홍콩상하이은행(HSBC)의 실제 소유주이며, 런던의 금융 중심지(City of London)의 주인으로

| 미국 연방준비은행(FRB) | 홍콩상하이은행(HSBC) | 유럽중앙은행(ECB) | 시티 오브 런던

세계 금시장의 가격결정권을 장악하고 있다.

또한 그들은 막대한 자본을 기반으로 세계 최대 석유산업인 Royal Dutch Shell과 세계 다이아몬드 독점 산업 De Beers社, 세계 최대 니켈업체[1], 레저산업, 백화점, 프랑스 최고급 와인산업, 알리안츠보험그룹을 비롯한 세계 최대 보험업과 홍차로 유명한 립톤(Lipton)까지 우리 생활 전반에 큰 영향력을 행사하고 있다.

로스차일드가의 금융 대리인 조지 소로스

소로스는 1930년 부다페스트에서 'Gyorgy Schwartz'라는 이름으로 태어났다. 하지만 1936년 그의 부모는 그들의 성을 'Sorosz'로 바꾼다. 그 후 그는 런던에서 교육받고 1950년대에 미국으로 간다. 그는 '세계단일화'를 촉진하는 외부촉진 역할로 국제금융계에서 21세기 로빈 후드 역할을 충실히 감당해 왔다.

소로스는 세계 각지의 국제금융가의 지배하의 매스컴에 의해 독보적인 금융 천재로 묘사되고 있지만 그는 로스차일드가 금융의 통제와 파괴를 통해 지배력을 확대하는 전략에서 '파괴'쪽을 담당하는 대리인일 뿐이다. 다시 말하면 조지 소로스는 로스차일드가가 장악한 유럽중앙은행과 미국연방준비은행제도를 더 큰 세계중앙은행제도로 발전시키기 위해, 기존의 금융 시스템을 공격하고 동유럽과 구소련에 금융가의 영향력을 확장하고 있다. 조지 소로스와 로스차일드가 사이의 관계는 펀드,

1998년 조지 소로스는 대통령으로부터 칙사대접을 받고 한국에 초청받았다. 그러나 그는 동남아 외환위기를 촉발시킨 장본인으로 지목되어 아시아 각국으로부터 엄청난 비난을 받았다.[2]

신탁, 사업체, 은행 등의 관리 위원회를 이끌어 갈 믿을 만한 대리인들을 통하여 이루어진다.

세계금융시장을 휩쓴 소로스의 '퀀텀펀드'는 카리브 해에 있는 네덜란드령 안틸레스 제도에 있는 조세 피난처인 퀴라소 섬(Land Curaçao)에 등록시켜 둠으로써 주요 투자자들의 자금 출처를 은닉할 수 있었다. 이곳은 국제적으로 각광받는 마약 거래상들의 검은돈을 세탁하는 장소이다. 소로스의 퀀텀펀드 이사회 명단을 보면 국제사회를 움직이는 국제금융가들의 대리인의 면면을 엿볼 수 있다.

신세계질서를 만들어 가는 좌파 사령관 소로스는 이렇게 로스차일드가의 충성스러운 대리인으로 국제금융질서의 해체부분을 촉진시킴으로써 세계단일화를 이루어 나가고 있다.

소로스의 역할은 각국 경제에 '통제하며 해체하기'를 시행함으로써 세계단일화폐를 담당하는 세계중앙은행과

통제와 해체전략
기존질서를 통제하며 더 큰 시장 확대를 위해 대리인을 통해 시장의 질서를 해체하여 소수의 시장지배력을 확산하는 국제금융가문들의 오랜 전략이다.

세계정부의 창설을 준비하는 것이다. 1980년대 이미 라틴아메리카와 아프리카 개발도상국에 대한 통제와 해체는 끝이 났다. 그리고 97년 아시아에 대한 지배력을 확대한 후 이제 동유럽과 소련을 겨냥해 해체작업의 마무리에 들어갔다. 2011년 10월 미국의 월가에서 시작되고 있는 국제금융에 대한 반대여론 역시 로스차일드의 좌파 리더 소로스와 록펠러의 좌파 사령관 노엄 촘스키의 공개지지로 진행되는 것이다. 소로스는 공개사회펀드, 즉 Open Society Fund와 인권펀드(Humanitarian Rights Fund), 헬싱키 위원회, 베오그라드 써클(NGO단체), 유러피언 운동, 반전운동센터 등을 지원하면서 로스차일드가의 세계단일화를 위해 사회적 여론형성기능의 NGO운동을 주도적으로 지원하고 있다. 이러한 NGO 지원은 민족, 국가, 가족, 종교에 대한 종래의 의식을 무너뜨리고 새롭게 세계화의 세계시민의식을 형성하는데 그 목적이 있다.

소로스는 자칭 유대인이며 시오니즘 운동의 핵심 세력인 로스차일드가의 반대편에서 로스차일드가의 자금으로 반유대주의 운동을 지원하는 동시에 세르비아 혐오 사회(Xenophobic Serbian Society)를 지원하고 있다.[3] 이러한 반유대주의 운동은 세계단일화를 완성해 가는 과정에서 국제사회의 반유대주의의 여론을 효과적으로 형성하는 '정반합의 원리'로써, 단일정부 체제를 만들어 가려는 고도화된 여론 조작 움직임이다. 소로스의 공개사회펀드는 재정적으로나 이념적으로 게이(동성애자)들의 인권을 변호하는 조직을 지원하고 있다. 독립 미디어를 통해 '질서 무너뜨리기' 전략을 구사하는 소로스는 B29, Studio B, TV Pink, TV Panonija, Anem 과 같은 독립 언론 매체도 통제하고 있다. 이러한 독립 미디어에 대한 재정지원 방식의 통제는 수많은 NGO단체를 통해 여론으로 확산된다.

| 소로스의 퀀텀펀드 위원회 사진 |

① 리처드 카츠
(Richard Katz)

② 닐스 타우버
(Nils O. Taube)

③ 에르가르 드 피치오토
(Edgar de Picciotto)

퀀텀펀드(Quantum Fund)

조지 소로스
(George Soros)

④ 마이클 시쿠렐
(Michel Cicurel)

⑤ 사울 아이젠버그
(Shaul Eisenberg)

⑥ 마크 리치
(Marc Rich)

① **리처드 카츠(Richard Katz)** 런던 로스차일드은행(N. M Rothschild & Sons)의 이사이며, 로스차일드 가문의 이탈리아 밀라노은행(Rothschild Italia S. P. A)의 총재이다.

② **닐스 타우버(Nils O. Taube)** 나다니엘 로스차일드가 소유한 런던은행그룹 세인트 제임스 플레이스캐피털(St. James Place Capital)의 CEO이다.

③ **에드가르 드 피치오토(Edgar de Picciotto)** 스위스 민간은행에서 가장 논란이 많은 인물이다. 제네바에서 가장 똑똑한 은행가로 꼽히기도 한다. 피치오토가의 사람으로 피치오토의 뉴욕 리퍼블릭 뱅크의 에드먼드 사프라(Edmund Safra)는 스위스 정부로부터 터키와 콜롬비아의 마약 돈세탁 혐의를 받았으며, 1999년 모로코에서 피살당했다.

④ **마이클 시쿠렐(Micheal Cicurel)** 프랑스의 소시에테 제너럴 은행의 임원이며 에드먼드 로스차일드 매니지먼트의 의장이며 Rothschild & Cie Banque board의 의장이다.

⑤ **사울 아이젠버그(Shaul Eisenberg)** 이스라엘 정보부의 핵심인물이다.

⑥ **마크 리치(Marc Rich)** 스위스의 투자자이다.

19세기 이래로 로스차일드가가 지배해온 AP와 로이터 통신은 대중적인 여론을 통제하고 있다. 나다니엘 필립 빅터, 제임스 로스차일드(1971~)는 2005년 세계경제포럼(다보스포럼)에서 '차세대 글로벌 리더'로 선발되었다. 에블린 로스차일드(1931~)는 1998년 빌더버그 회의에서 린 포스터를 만나 결혼하였는데, 린 포스터는 전 세계 경영인들의 필독 주간 잡지《이코노미스트》발행사의 이사이다.[4]

로스차일드가(家)는 미국의 록펠러가(家)와 함께 국제사회를 신세계질서(New World Order)로 만들어 가는 핵심 집단이다. 로스차일드 가문은 시오니즘 운동의 핵심 세력이며, 아이러니하게도 반유대주의를 전략적으로 확대·재생산한다. 또한 이들은 월가 5대 투자은행의 실질적 지배세력이다. 세계인의 눈길이 빌 게이츠나 워렌 버핏(Warren Buffett)의 재산에 관심을 기울이는 순간에도 여전히 로스차일드가와 록펠러가는 막대한 지구적 영향력을 행사하고 있다.

이러한 로스차일드가의 금융 대리인인 조지 소로스는 1980년에 즈비그뉴 브레진스키, 매들린 올브라이트(Madelein Albright) 등 미국 정계 요인들과 함께 민주주의재단(National Endowment for Democracy)을 설립했다. 이 조직은 미국중앙정보부(CIA)와 합자로 세워졌다.

또한 그는 뉴욕에 설치한 '열린사회재단'(Open Society Institute)을 모델로 하여 극단적이고도 비이성적인 '개인적 자유주의'라는 이념을 제창했다. 그는 거대한 문어처럼 동유럽 전체와 유럽 남동부, 카프카스 지역과 구소련의 각 공화국으로 발을 뻗었다. 소로스는 언론 플레이를 통해 사회적 회의의제(agenda)를 조작하고 세계의 자원을 통제하여 단일세계를 구축하는데 완벽한 역할을 감당하고 있다. 2011년 10월 뉴욕 월가에서 시작되어 미국 전역으로 번지고 있는 현 금융 시스템에 대한 반대 시위도 기존 체제를 붕괴시켜 세계중앙은행 체제로 변화되기 위해 필요한 여론 조성 작업이며, 이것 역시 국제금융가들의 변증법적 논리 즉, '통제하며 해체하기' 전략이다. 이에 따라 로스차일드가의 해체부분의 대리인 조지 소로스는 즉각적으로 "2008년 금융위기 이후 신용카드 수수료가 급격히 올라 중소기업인은 어려움을 겪는 대신, 은행은 막대한 흑자를 내고 있다."며 "시위대의 시각에 공감한다."[5]라는 지지를 표명했다.

이렇듯 대리인을 통해 전략적으로 세계적인 행사를 하는 로스차일드가(家)와 록펠러가(家)가《포브스》의 '세계억만장자 리스트'에 오르지 않는 이유가 있다. 그 이유는 재산측정기준을 개인보유 주식과 토지의 액수를 종합하여 조사하기 때문이며, 두 가문은 이미 재단과 지주회사를 통해 재산을 분산시켜 놓았기 때문이다.

로스차일드 가문의 역사

프랑크푸르트의 유대인 공동묘지에는 이렇게 적힌 묘비가 있다.

이작 엘하난, 1585년 사망

이 사나이는 1560년대 유대인 거리의 집에 살았으며, 그 집의 특징은 방패 모양의 빨간 간판, 즉 빨간 방패(rot schild)였다는 사실만 기록되어 있다. 당시 유대인에게는 성(姓)이 허용되지 않았으므로 이름만 주어졌다. 이 집안은 200년이 흘러 집안을 상징하던 빨간 방패를 성으로 하여 로스차일드로 불리게 되었다. 1750년대 암셀 모제스 로스차일드는 사치품 거래를 금지하는 시 법률에도 불구하고 비단 등의 상품을 팔았다는 기록이 있다. 그는 환전상(換錢商)을 물려받았다. 그 당시 독일은 235개 공국 및 공작령에 51개의 도시가 있어서 저마다 독자적인 화폐를 발행했다. 따라서 프랑크푸르트 같은 큰 상업중심지에는 금화나 은화로 제작된 오스트리아 달러, 색슨 탈레르, 베스트팔렌경화 및 그 밖의 몇 백 가지 화폐의 순도(純度)와 교환시세에 정통한 상인이 존재할 필요가 있었다.[6] 당시 유대인 사회는 가톨릭의 반유대정서로 인해 비참한 삶을 살고 있었고 그들이 비참한 게토를 탈출하는 유일한 방법은 가톨릭과 기독교가 금기시 하는 이자업인 은행업을 하는 길이었다. 모제스는 자기 사업을 발전시켜 은행업으로 확장했다. 그는 친척이 은행업을 하는 하노버로 옮겨갔다. 그곳에서 뷔르템베르크 공의 신임을 얻어 공작의 재무대신이 되었다. 부유한 공작에게는 유능한 재무 관리자가 필요했고, 대부분 유대인이 고용되었다. 따라서 궁정 유대상인의 생활은 특권이 주어지고 장래도 보장되었다.[7] 그들은 통행의 자유를 누렸고, 유대인 인두세(人頭稅)를 면제 받았다. 주거와 복장에도 굴욕적 제한을 받지 않았다. 그의 은행업은 계속 발전했다.

일루미나티 창설과 프리메이슨의 프랑스 혁명

그가 태어난 시기는 유럽의 종교개혁 이래 끝없는 혼란과 개혁이 맞닥뜨리고 있던 대격변의 시기였다. 역사가들은 이 때를 '계몽주의 시대'라고 부른다. 암셀 바우어는 모제스 멘델스존(작곡가 멘델스존의 조부)이 만든 유대교 계몽주의 운동인 '하스칼라'(Haskalah)의 영향으로 '하나의 신 아래 모든 인간은 평등하다'는 사상의 영향을 받으며 성장하였다. 암셀 바우어는 궁정 유대상인인 아버지로 부터 은행업을 배워가며 유대사회 및 지역사회에 점점 그 영향력을 확대해 나가기 시작했다. 은행업을 하는데 있어서 급격한 사회변화는 당시 은행가들에게는 가장 큰 위험 요소였다. 당시 유럽사회의 강력한 개혁을 실제적으로 실행하던 엘리트 비밀집단인 프리메이슨 모임은 이 젊은 은행가에게 있어서 위기를 기회로 만들 수 있는 강력한 조직이었다. 이러한 프리메이슨을 장악하기 위한 목적으

하스칼라
독일계 유대인 철학자 모제스 멘델스존은 18세기 압제와 박해로부터의 해결책으로 '현대 유대교'라 불리는 하스칼라 곧, 계몽의 길을 제시했다. 유대인이 탈무드의 속박으로부터 벗어나 서구 문화를 따를 경우 사람들로부터 인정받을 것이라는 주장에서 비롯되었다.

로 1773년 '시온의 12현자' 회합을 갖고 이 자리에서 세계를 지배하기 위한 정치, 경제 전략에 대해 논의하며 새로운 세계질서의 청사진을 그리게 된다. 이것이 오늘날에 알려진 '시온의 의정서'이다. 그리고 1776년 5월 1일 마이어 암셀 로스차일드와 아담 바이샤우프트는 일루미나티를 창설하게 된다. "일루미나티는 프리메이슨과 제휴함으로써 크게 확대되었고 재정적인 곤란을 겪지 않게 되었으며 박해로부터 보호를 받았다."[8]

일루미나티를 만든 아담 바이샤우프트(Adam Weishaupt, 1748~1830)는 15세에 예수회가 운영하는 잉골슈타트대학(Ingolstadt)에 입학하였다. 유럽 주요 도시에 자리 잡고 있던 국제금융가문인 로스차일드와 함부르크의 오펜하이머, 암스테르담의 멘델손 등은 당시 유럽의 금융자본의 후원으로 일루미나티(비밀 결사단체)를 결성했다. 이 단체는 빠른 속도로 독일, 네덜란드, 프랑스, 오스트리아, 이탈리아, 영국, 러시아 등 유럽전역으로 확산된다.[9] 일루미나티가 사상의 기조로 채택한 계몽주의는 'Novus Ordo Seclorum'(신세계질서)

으로서 프랑스 대혁명의 기조가 되었다. 1913년 국제금융가들에 의해 장악된 미국 연방준비은행(FRB)이 발행하는 1달러에는 태양신 숭배를 상징하는 피라미드와 함께 Novus Ordo Seclorum이 그려져 있다. 이것이 영어로는 New World Order(신세계질서)이다. 또한 피라미드 하단에는 일루미나티의 창설연도인 1776년을 기념하여 MDCCLXXVI라고 쓰여있다.

자유의 여신상(Statue of Liberty)은 미국의 독립 및 일루미나티 100주년을 기념해 프랑스 프리메이슨이

| (위)자유의 여신상 (아래)여신상 아래 석판

미국에 보낸 선물이다. 자유의 여신상은 바르톨디(Bartholdi)에 의해 설계되어 1884년에 완성되었고 1886년에 뉴욕 항 리버티 섬에 세워졌다. 여신상은 7대륙을 상징하는 일곱 뿔이 달린 왕관을 쓰고 있고, 오른손에는 자유의 빛을 세계에 비추는 횃불을 들고 있으며, 왼손에는 1776년 7월 4일 새겨진 독립선언서 석판을 들고 있다. 자유의 여신상의 원류는 이집트의 이시스(Isis), 바빌론의 이슈타르(Ishtar), 로마의 리베르투스(Libertus) 정신을 연결하는 여신이다.[10]

이들이 기존 기독교로부터 비난을 받는 이유는 이들이 주장하는 신에 대한 개념이 성경에서 말하는 여호와 하나님이 아니라 단테의 신곡에도 등장하

는 타락한 천사 루시퍼(Lucifer)를 지칭하고 있기 때문이다. 많은 종교학자들은 1520년경 스페인의 그노시즘(영지주의)을 일루미나티의 기원으로 보고 있다. 영지주의는 유대교의 신비사상, 그리스 사상, 우주신화, 인도철학, 이슬람 근본주의, 기독교 교리를 접목시켜 창조주 여호와 하나님과 예수 그리스도를 부인하며 루시퍼를 숭배하는 사단숭배종교이다. 1773년 교황 클레멘스 14세는 예수회(제수이트)를 이단으로 규정하고 해체명령을 내렸으나[11] 예수회의 아담 바이샤우프트가 예수회를 그대로 흡수하여, 사단의 세계로 이끌어 나갈 일루미나티를 창설하게 된 것이다. 로스차일드 가문은 세계사 속에 수많은 전쟁을 유도하여 전 세계의 금융을 독점하게 되었고, 사단을 숭배하는 자칭 유대인들은 프랑스혁명과 공산주의의 태동에도 큰 영향을 미쳤다.[12]

프랑스대혁명의 주역인 마라(Marat), 당통(Danton), 로베스피에르(Robespierre), 미라보(Mirabeau), 라파이에트(Lafayette) 등이 일루미나티의 하위조직 '9자매단'(Les Neuf Soeurs)회원이었음이 후일 세상에 알려졌고 프랑스 대혁명을 사상적으로 고취시킨 루소, 볼테르, 로크 등 모두가 프리메이슨이라는 기록도 밝혀졌다.[13] 또한 독일의 괴테, 쉴러, 폰 헤르더(von Herder), 크니케(Kniche), 작곡가 모차르트도 일루미나티의 회원이었다.

독일 오페라 중에서 최고의 작품으로 평가되는 모차르트(W. A. Mozart, 1756~1791)의 '마술피리'는 프리메이슨과 일루미나티의 종교적 사상을 그대로 보여주는 음악이다. 마술피리의 내용은 고대 이집트를 배경으로 프리메이슨의 상징주의와 시대적 정치풍자로 구성되어 있다. 일루미나티는 '광명', 즉 '빛'을 의미하며 성경에서 말하는 광명한 천사 루시퍼를 말하고 있다. 마술피리는 이 루시퍼의 빛을 찬양하는 곡이다. 이 오페라에서는 "모든 것이 빛이다. 빛이 아닌 것은 아무 것도 없다."라고 노래하고 있다. 따라서 모차르트 자신이 회원으로 있던 일루미나티와 프리메이슨의 신조와 의식 등이 그의 음악 곳곳에 반영되어 있다. 마술피리의 하이라이트 부분은 당시 프리메이슨의 사단 숭배집회에서 접신하던 여자 무당을 표현하는 것이다.

프랑스 혁명의 자유, 평등, 박애는 일루미나티의 사상이다. '자유'는 신의 권위나 전제 체제로부터의 자유이며, '평등'은 왕권에 대한 평등이고, '박애'는 비밀조직 내 동료간의 신의를 의미한다. 그리고 21세기 오늘날 이들 핵심세력은 그들의 목표인 신세계질서를 구체적으로 실현시키려 하고 있다. 마이어 암셸은 일루미나티를 통해 정치적 혁명을 후원하고 기존 지배질서를 파괴하였으며, 미리 감지된 혁명과 전쟁의 상황을 통해 유럽의 혁명적인 변화 속에 강력한 금융지배그룹으로 성장하게 된다. 그는 16명의 자식을 낳았는데 그 중 아들 다섯과 딸 다섯이 살아남아 건강하게 자랐다. 아들 다섯은 암셸, 살로몬, 네이선, 카를, 제임스였다. 이들이 유럽의 각국으로 보내져 은행업을 시작하였고, 20여 년에 걸쳐 세계 최대의 국제은행조직으로 군림하게 된 것이다.

세계 최대의 국제은행조직을 설립한 로스차일드

이렇게 형성된 국제은행조직은 당시 전쟁을 치르기 위해 막대한 군사자금을 필요로 하는 국가에 비싼 가격으로 황금을 빌려주고 채권을 헐값에 사들여 각 국가의 가장 강력한 은행으로 성장하게 되었다. 그러한 단적인 예가 1815년 6월 벨기에의 워털루 전투이다. 이 전투는 영국군의 웰링턴 장군과 엘바 섬에서 돌아온 프랑스의 나폴레옹이 국가의 운명을 걸고 벌이는

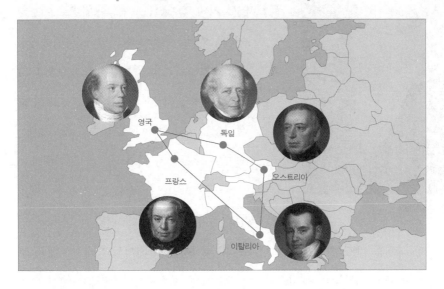

| 로스차일드(Rothschild)의 5극 체제 |

독일 : 암셀 로스차일드 Amschel Mayer Rothschild(1773~1885) : Frankfurt
오스트리아 : 살로몬 로스차일드 Salomon Mayer Rothschild(1774~1855) : Vienna
영국 : 나탄 로스차일드 Nathan Mayer Rothschild(1777~1836) : London
이탈리아 : 카를 로스차일드 Calmann Mayer Rothschild(1788~1855) : Naples
프랑스 : 야곱 로스차일드 Jokob Mayer Rothschild(1792~1868) : Paris

한 판 승부였다. 때론 전쟁은 수많은 투자자가 거액을 놓고 벌이는 도박의
대상이기도 했다. 이 도박에서 이기면 천문학적인 돈을 움켜쥐지만, 지는 날
에는 하루 아침에 빈털터리가 될 수도 있었다. 사람들은 이 전쟁의 결과에
모든 관심을 쏟았고, 런던 증권거래소에는 짙은 긴장감이 감돌았다. 영국이
패할 경우 영국의 국채(consols)가격은 나락으로 떨어지고, 승리하게 되면 수
십 배의 이익을 얻을 수 있는 기회였기 때문이다.

로스차일드가는 국제금융가로 이미 가장 빠른 정보망을 형성하고 있었
고 1815년 6월 18일 저녁 나폴레옹이 이끄는 프랑스군의 패색이 짙어지

| 네이선 로스차일드

자, 로스차일드가의 정보망은 신속히 가동되었다. 로스차일드가의 정보원은 즉시 브뤼셀로 이동하여 오스탕드 항에서 배로 갈아탔다. 특별통행증이 있는 로스차일드가의 정보원은 쾌속선을 타고 2000프랑의 비용을 들여 해협을 건넜다. 19일 새벽 영국 포크스턴의 해변에 도착했을 때, 네이선 로스차일드는 부두까지 나와 정보를 확인했다.

그는 봉투를 확인하고 즉시 런던 증권거래소로 달렸고 네이선의 거래 대리인들은 조용히 영국 국채를 매도하기 시작했다. 주변의 투자자들은 네이선의 국채투매를 보며 영국이 패한 것으로 소문을 퍼뜨렸고, 순식간에 영국 국채가 시장에 쏟아져 나왔다. 모든 사람들이 한 푼이라도 건지기 위해 투매에 나서자 이 투매 열기는 증권거래소를 패닉상태로 몰아넣었다. 몇 시간에 걸친 투매 광풍이 지난 후 영국 국채는 액면가의 5%도 안 되는 휴지 조각으로 변해 있었다. 이 때 네이선의 대리인은 휴지 조각이 된 국채를 다시 대량으로 사들이기 시작했다.

그리고 6월 21일 밤 11시 영국의 웰링턴 장군의 특사 헨리 퍼시(Henry Percy)가 런던에 도착했다. 영국군의 승전보를 전한 것이다. 다음 날 증권거래소에서는 국채가격이 20배나 폭등하였다. 영국은 전쟁에서 승리하였지만 영국 국민들의 세금은 전쟁 빚으로 말미암아 고스란히 로스차일드가의 담보가 되어 버렸다. 게다가 8%의 이자까지 내야했다. 이 때 원금과 이자는 모두 금화로 지불되어야만 했다. 여기서 네이선이 영국 국채의 대부분을 손에 넣었다는 것은 영국 전체의 통화 공급량을 통제할 수 있게 되었다는 의미이다. 이들은 강력한 부를 무기로 당시 귀족 가문과의 정략결혼을 함으로써 강력한 지배체제를 구축하게 되었다.

> 수표나 신용화폐가 어떻게 돌아가는지 아는 극소수의 사람은 그 시스템이 형성하는 이윤에만 큰 관심을 두거나 그 시혜자인 정치가와 결탁해 자기편으로 만들어 버린다. 그러나 대부분은 이 시스템으로 파생되는 자본이 가져오는 거대한 이익에 대해 알 도리가 없다. 그들은 압박을 받으면서도 전혀 불만을 품지 않는다. 심지어 이 시스템이 자신의 이익을 해치지 않을까 의심하지도 않는다.
> _네이선 로스차일드

1828년 영국 하원연설에서 토머스 던컴은 네이선 로스차일드가 이 나라의 실제 권력을 모두 행사하고 있다고 단언했다.[14]

> 내게 통화 공급권을 통제할 수 있는 권한을 달라. 그러면 누가 법률을 만들든 상관없다.
> _마이어 암셸 로스차일드

마이어 암셸의 부인이자 다섯 형제의 어머니 구틀 슈내퍼는 세상을 떠나기 전에 마지막으로 이렇게 말했다. "내 아들들이 전쟁을 바라지 않는다면, 전쟁에 열을 올리는 사람들도 없어질 것이다." 로스차일드가는 각 국가의 화폐발행권을 장악하고 지속적인 전쟁을 통해 각 국가에 부채를 늘렸으며 이러한 막대한 부를 통해 유럽의 보이는 정부를 장악했고 프리메이슨과 일루미나티 등을 통해 니므롯으로부터 시작된 사단숭배 모임을 더욱 강력하게 진척시켰다. 그리고 겉으로는 철저한 유대인으로 가장하며, 시오니즘 운동을 추진하였다. 그래서 로스차일드가 가는 곳에는 프리메이슨의 상징인 피라미드와 오벨리스크가 세워졌다.

로스차일드가는 18세기 이후 250년간 나폴레옹전쟁, 워털루전쟁 등에 개입하여 유럽의 화폐발행권을 통제하였고, 미국 남북전쟁 이후 치열한 노력 끝에 1913년 미국의 화폐발행권을 통제하였다. 또한 이들은 러일전쟁, 제1차 세계대전, 제2차 세계대전, 한국전쟁 등을 통해 각국의 중앙은행설립에 강력한 영향력을 행사하여 전 세계를 빚의 노예로 만드는 작업을 진행하고 있다. 미국의 록펠러가와 영국의 로스차일드가는 전 세계의 귀족 가문들과 함께 세계중앙은행을 통한 단일화폐시스템을 만들기 위해 21세기 현재 전세계 금융위기 속에서 활발히 그 계획을 진행 중이며, 이제 그들의 오랜 꿈의 완성이 눈앞으로 다가오고 있다.

잉글랜드 은행의 탄생과 로스차일드 가문의 성장과정

18세기 로스차일드가에서 완전히 장악한 잉글랜드 은행의 역사를 통해 금화에서 채권으로 넘어가는 화폐의 과정을 알아볼 필요가 있다. 민영 중앙은행인 잉글랜드 은행의 경우 1625년 이후 두 차례에 걸친 내전과 정국의 혼란으로 영국의 국고는 바닥이 난 상태가 되었다. 1689년 제임스 2세의 딸 메리와 결혼한 윌리엄 1세가 왕위에 올랐을 때는 영국의 재정난이 가장 극심한 때였다. 프랑스의 루이 14세와 전쟁을 치르느라 윌리엄 1세가 이끄는 영국정부는 기진맥진한 상태에 있었다. 이 때 윌리엄 패터슨(William Paterson)을 비롯한 은행가들이 민영은행을 설립해 국가에 금화를 빌려주고 연 8%의 이자에 4,000파운드의 관리비를 책정하는 조건으로 대규모 대출을 해주었다. 그 대가로 정부는 민간은행인 잉글랜드 은행에 국가가 승인하는 은행권을 독자적으로 발행할 수 있게 권한을 주었다. 은행권은 금화를 은행에 보관했다는 영수증인데, 당시 금화거래의 불편함을 해소하기 위해 은행이 이 금화 보증서를 발행하였고 금화 보증서는 유통의 효율성 때문에 시장에서 활발하게 거래되었다. 많은 양의 금화를 휴대하기 불편했기 때문에 시간이 흘러 점차 금화 보관증인 은행권이 화폐로 통용되었다. 은행가들은 자기가 실제 보유한 금화보다 더 많은 은행권을 발행하여 사람들에게 대출해 주고 원금과 이자를 회수하는 방식으로 자본 없이도 부를 만들 수 있는 특별한 권한을 가지게 되었다. 잉글랜드 은행이 발행한 이 은행권은 국가가 인정한 은행권이었기에 널리 사용되었고, 곧 국가의 화폐로 발전하게 되었다. 그 후 1694년 윌리엄 1세가 잉글랜드 은행에 '왕실 특별허가증'(Royal Charter)을 내주게 되

▌잉글랜드 은행

▌영국 프리메이슨 사원

▌벤자민 디즈데일리 수상

고, 잉글랜드 은행이 근대적 은행으로 설립되도록 발판을 마련해 주었다. 잉글랜드 은행은 국왕과 왕실 가족의 개인 채무를 국가의 영구적 채무로 변환시켰다. 이렇게 해서 국왕이 전쟁에 필요한 자금을 확보할 수 있었고 그 대가로 은행가는 안정적인 이자 수입을 올릴 수 있었다. 그리고 150년이 흘러 이 영국의 중앙은행인 잉글랜드 은행을 네이선 로스차일드가 강력한 채권자로 장악하게 되었다.

로스차일드 가문은 세계 금융시장을 주도하면서 다른 분야도 거의 장악했다. 그들은 이탈리아 남부 지역 전체의 재정 수입을 담보로 한 재산을 보유하고 있으며, 유럽 모든 국가의 국왕과 정부 관료가 이들의 영향력 안에 있다.

_벤저민 디즈레일리 영국 수상, 1844년

한 나라의 정부가 은행가의 돈에 의존하면, 정국도 정부 지도자가 아닌 은행가가 장악하기 마련이다. 돈에는 조국이 없다. 금융재벌은 무엇이 애국이고 고상함인지 따지지 않는다. 그들의 목적은 오로지 이익을 얻는 것이다.

_나폴레옹, 1815년

1818년 로스차일드의 다섯 번째 아들 제임스 마이어 로스차일드가 있던 프랑스도 로스차일드의 영향력 안에 흡수되고 있었다. 1818년 10월부터 로스차일드 가문은 자신들의 금권을 활용하여 프랑스 국채를 사들이기 시작했다. 그리고 11월 5일부터 프랑스 국채를 일제히 투매하기 시작했다. 프랑스 국채는 국제시장의 공황 속에 빠졌고 콧대 높은 프랑스 황실은 로스차일드 가문에 도움을 요청하지 않을 수 없게 되었다.

이 날 엘리제 궁의 분위기는 과거와 사뭇 달랐다. 오랫동안 찬밥 신세를 면치 못하던 제임스 마이어는 프랑스 귀족 사이에서 존경의 대상이 되었고 프랑스의 금융 위기를 구해준 영웅으로 인식되었다. 점차적으로 그는 프랑스 전역의 금융을 장악하기 시작했다. 당시 제임스 로스차일드의 재산은 6억 프랑에 육박했다. 프랑스에서 그 보다 많은 재산을 가진 사람은 8억 프랑을 보유한 프랑스 국왕 뿐이었다. 프랑스의 다른 은행가들의 모든 재산의 합은 4억 5천만 프랑이었다. 이러한 막대한 재산을 기반으로 로스차일드가는 프랑스의 와인 산업을 비롯한 금융 산업을 완전히 장악하게 되었다.

1814년 9월부터 1815년 6월까지 개최된 비엔나 회의를 통해 스위스의 영세중립이 선언되었고, 로스차일드가의 사적 재산을 보호하기 위한 스위스 은행의 비밀 금고는 현재까지 존속되고 있다.[15]

©연합뉴스

▌엘리제 궁의 전경, 현대 프랑스 대통령의 공식관저에 사무소가 위치하고 있다.

▌독일수상 비스마르크

1818년에 열린 '아헨열국회의'(Congress of Aix-la-chapelle)는 나폴레옹이 전쟁에 패한 후 유럽의 장래를 의논하는 중요한 자리였다. 영국, 러시아, 오스트리아, 프로이센, 프랑스의 대표들은 프랑스의 전쟁 보상과 동맹국의 철수 문제를 결정했다. 이미 국제사회에서 로스차일드가는 일개의 은행가가 아니었다. 살로몬 로스차일드는 이 회의에 채권자로 당당하게 자리하고 있었다. 로스차일드 가문은 전쟁 중에 항상 교전 당사국 모두에게 전쟁 비용을 대여해 주었다. 그러나 전쟁이 끝나면 승전국으로부터는 원금과 함께 엄청난 이자와 독점적 이권을 받았고, 패전국에게 전쟁 배상금을 다시 대여해주는 대신 산업, 금융 분야의 특혜를 얻어냈다. 그리고 각국의 전후 복구사업에도 참여하여 추가로 막대한 이권을 챙겼다.[16]

로스차일드가는 전 유럽의 금융을 장악해 나가고 있었다. 드디어 1822년 암셀 마이어 로스차일드는 독일연방의 초대 재무장관으로 임명되었다. 또한 프랑크푸르트의 로스차일드 은행은 독일 금융의 중심이었다. 그는 당시 유럽의 비밀 클럽인 프리메이슨 집회의 중심인물이었고 암셀 마이어가 후원한 비스마르크는 독일의 강력한 수상이 되었다.

한편 이런 로스차일드가의 금융패권에 반대한 시도도 있었다. 1836년 프랑스 파리 로스차일드 은행가를 견제하기 위해 루이 필립을 대신하여 등장한 나폴레옹 3세는 국가공채발행을 로스차일드 은행과 과거 귀족들에게 요청하지 않고 소규모 공채를 만들어 국민들로 하여금 이를 구입하도록 호소했다. 이에 따라 최초의 민주적 형태의 은행인 동산은행(Credit Mobilier)이 상장되자 1주당 500프랑에서 1600프랑으로 급등했고, 이에 나폴레옹 3세는 용기를 얻어 동산은행의 기능을 확대하여 로스차일드를 비롯한 소수의 은행가들을 견제하기 시작했다.[17] 프랑스는 금융독립전쟁의 일환으로 1866년 프로이센과의 전쟁에 가담한 오스트리아의 전시 공채를 인수하였으나 프랑스 국채발행권을 다시 찾기 위한 로스차일드가의 치밀한 전략으로 오스트리아는 전쟁에서 패하였다. 전시국채를 인수한 프랑스의 동산은행은 역사의 무대 뒤로 사라지게 되어 다시 로스차일드가는 프랑스의 국채를 발행하게 되었다.

동인도회사의 흡수와 300인 위원회 설립

로스차일드가는 나폴레옹 전쟁 직후부터 영국 왕실 소유의 동인도회사 지분을 확장하여 결국 실질적인 주인이 된다. 이 시기에 로스차일드가와 영국 왕실 간에는 동맹 제휴 관계가 유지되고 있었다. 경제 권력은 로스차일드 가문이, 정치 권력은 영국 왕실과 귀족이 장악한 시대였다. 1850년대부터 영국에서는 유대인 정치 활동의 보장이 이루어졌고, 나단 로스차일드가 의원으로 당선된 이후부터 이들은 두 가지 조치를 취했다.

첫째, 로스차일드가는 동인도회사의 권리를 국가에 귀속시키는 작업을 하기 시작했다. 금융 자본으로 산업 자본을 삼켜 독점 금산(金産)복합체를 만든 뒤 이 힘으로 영국 국가 권력마저 장악하여 국가 독점 금산복합체를 만든 것이다. 영국 왕실도 19세기 후반에 이르러 로스차일드에게 감히 대항하지 못하고 협조를 통해 권력에 대한 보호를 받게 되었다. 국가 독점 금산복합체의 중심에는 로스차일드가와 로스차일드 은행이 있고, 로스차일드 은행을 중심으로 런던은행그룹과 유럽과 미국의 은행그룹이 있었다.[18]

둘째, 동유럽과 러시아에 산재한 유대인들을 정치적, 경제적으로 각성시켜 은행장 등의 공직을 유대인으로 대체하기 시작했다. 또한 신흥 유대인 기업들을 적극 후원하였다. 국가 독점 금산복합체는 로스차일드의 다섯 형제를 기반으로 전 세계 산재한 유대인을 네트워크로 하는 제국주의 체제를 형성하게 되었다.

로스차일드가 독점 금산복합체와 유대인 네트워크 망을 형성하였을 때 이 둘을 종합하는 최상급 조직이 '300인 위원회'이었다. 300인 위원회는 영국 왕실과 귀족 대표, 전 세계 유대인 네트워크 대표, 은행연합그룹으로 구성하여 각각 정치, 사회 문화, 경제를 담당하게 했다.

300인 위원회는 아직도 존재하고 있지만 2차 세계대전 이후 급변하는 세계 체제를 효과적으로 통제하기 위해 영국 왕실과 귀족 대표라는 협소한 협의체의 한계에서 벗어나서 세계를 통제하는 권력으로 분산되기 시작한다. 그 하나의 예가 바로 빅터 로스차일드가 주도하는 '빌더버그'이다.

빌더버그 회의와 삼각위원회

빌더버그 회의는 영국 동인도회사와 네덜란드동인도회사 간의 이익과 영국 왕실과 네덜란드 왕실 간에 이익을 조정하는 대서양 연대회의체이자 금융-에너지-산업지배를 강화시키는 현대판 동인도회사의 주주총회이다. 회의체의 형식은 로스차일드의 가문 5형제가 유럽에 산재하면서 국제적 동맹 체제를 형성했던 데서 비롯된 것이며, 내용적으로는 마셜플랜으로 보호받은 유럽대륙, 특히 독일에 투자된 국제금융자본의 안정과 발전을 꾀하여 록펠러의 삼각위원회와 함께 세계를 하나의 정부체제로 만들어가는 핵심 단체가 되었다. 바로 이러한 빌더버그 회의에 의해 세계은행은 록펠러가에서 관리하고 국제통화기금(IMF)은 로스차일드가에서 관리하는 관행이 지금까지 유지되고 있는 것이다.

빌더버그는 그 구성원들이 매년 세계 모처에 모여 신세계질서(단일정부)를 향한 비밀 의제를 다루고 있다. 그러나 경제의 중심축이 유럽에서 미국, 아시아 쪽으로 옮겨지면서 기존의 300인 위원회와 빌더버그 회의로는 국제사회를 효과적으로 관리하기에 어려움을 느끼게 되었고, 록펠러로 대표되는 미국의 금융 산업 자본에 대한 통제 권한을 이양하고자 1973년 창설된 것이 데이비드 록펠러가 창설한 '삼각위원회'이다. 이 삼각위원회는 아시아 신흥국가와 미국의 이익을 조정하며 통제하는 강력한 권력집단이다. 1973년 이후에도 빌더버그와 삼각위원회는 공존하고 있다. 삼각위원회가 세부 안건을 기획하고 빌더버그가 인준을 통해 국제사회를 통제하려는 그 계획을 집행하고 있다.

이와 같은 계획이 이탈리아 장 모네 총리를 중심으로 활발하게 추진될 즈음, 유럽통합의 흐름은 결국 1957년 로마조약, 1993년 마스트리히트조약을 거쳐 2009년 리스본조약에 이르기까지 활발하게 확대되어 단일시장과 단일화폐인 유로를 사용하는 유럽연합(EU)으로 발전했다. 그리고 유로를 관장하는 유럽중앙은행(ECB)은 암스테르담 조약에 의해 1998년 로스차일드가의 발상지 프랑크푸르트에 설립되었다.[19]

프랑크푸르트를 거점으로 형성되었던 로스차일드가의 5극 체제는 2차 대전을 거치면서 런던과 파리 중심의 양극체제로 변화되었다. 그러나 결국 프랑크푸르트에 유럽중앙은행을 세우고 전체 유럽의 화폐발행권을 통제하면서 1989년 베를린 장벽의 붕괴와 함께 이 지역은 다시 유럽 전 지역의 금융의 중심지로 재부상하였다.

이제 로스차일드를 비롯한 소수의 국제금융가문들은 유럽의 화폐를 통합하여 효율적으로 관리하기 위해 미국의 FRB와 유사한 ECB(유럽중앙은행)를 통해 유로화의 발행권을 통제하게 되었다. 국제금융가문의 빌더버그 그룹은 하나의 거대한 피라미드 상부에 위치한 엘리트 중 엘리트로서 세계를 군림하는 지배 구조를 형성하게 된 것이다.

빌더버그는 1980년대까지 베일에 가려져 있었고 언론조차 이 조직의 존재를 은폐해왔다. 1990년대까지도 이 그룹에 대해 단지 극소수의 보도만 있었을 뿐이었다. 그러나 대안 언론이 붐을 이루자 그들의 정보 통제력이 삐걱거리기 시작했다. 1999년 4월 3일 김대중과 김영삼 전 현직 대통령도 이 모임에 초청되어 비밀리에 다녀갔지만 주류 언론은 보도하지 않았다. 이 모임의 모든 최종 목표는 세계중앙은행의 창설과 세계단일정부의 수립이다. 모든 전략과 회의는 이 목적을 위한 장기적 목표와 단기적 과제로 진행된다. 2011년에도 빌더버그 모임이 열렸으나 여전히 주류 언론에는 보도되지 않는다.

1850년을 전후로 로스차일드 가문은 총 60억 달러의 재산을 축적하였고 20세기 초에 이르러 그들이 통제한 재산은 당시 세계 총 재산의 절반 정

| 250년 세계단일화 과정 |

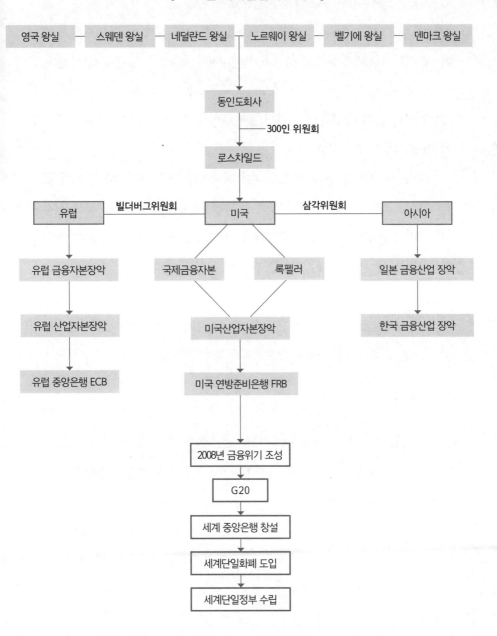

영국 왕실 — 스웨덴 왕실 — 네덜란드 왕실 — 노르웨이 왕실 — 벨기에 왕실 — 덴마크 왕실

동인도회사

— 300인 위원회

로스차일드

유럽 — 빌더버그위원회 — 미국 — 삼각위원회 — 아시아

유럽 금융자본장악 | 국제금융자본 | 록펠러 | 일본 금융산업 장악

유럽 산업자본장악 | 미국산업자본장악 | 한국 금융산업 장악

유럽 중앙은행 ECB | 미국 연방준비은행 FRB

2008년 금융위기 조성

G20

세계 중앙은행 창설

세계단일화폐 도입

세계단일정부 수립

도로 추정된다. 로스차일드 은행은 유럽의 주요 도시에 분산되어 있다. 그들은 국제 금융 청산 시스템을 처음으로 설립해 전 세계 황금시장을 통제하는데 이용했다. 「시온의 의정서」에서는 그들이 추구하는 단일사회에 대해 세계를 하나로 만들기 위해 3차 세계대전이 필요하다고 주장하고 있다.

즉, 로스차일드 가문은 시온의 의정서에 "3차 세계대전은 시오니즘과 이슬람주의자 간의 대립을 조장하여 발발한다. 그 후에 세계는 하나의 통치가 완성된다"고 기록하고 있다.

그들은 늘 전쟁을 통해 세계에 대한 지배력을 확장시켜 왔다. 전쟁이 없을 때에는 조지 소로스 등의 대리인을 내세운 헤지펀드 공격을 통해 신흥 공업국가에 자본 장악력을 확장하였다. 2011년 금융 위기 가운데 빌더버그 회의를 다녀온 브레진스키 교수는 다음과 같이 발언하였다.

이 엄청난 금융위기는 3차 세계대전과 같은 전쟁을 통한 대량의 감가상각 외에는 금융 위기를 해결할 방법이 점차 없어지고 있다.

_브레진스키 교수

로스차일드 가문은 현재 주요 서방 선진국의 최대 채권자이다. 로스차일드 가문은 세계를 장악하려는 사단의 회당인 프리메이슨의 정책을 주도하며 일루미나티를 통해 전 세계의 기독교를 파괴하는 작업을 꾀하고 있다. 그들은 보이지 않는 세계 지배자의 자리에 앉아 있는 사단의 회당이다.

로스차일드가의 미국 금융 장악과정

로스차일드가(家)는 신흥국가 미국에서도 자신들의 지배력을 확장하기 시작했다. 미국이 독립전쟁과 남북전쟁을 치르는 과정에서 막대한 유럽의 금융자본이 미국 경제권을 사유화할 수 있도록 로비와 정치인 매수 등 모든 조직을 총동원 하였다. 그들은 수차례에 걸쳐 정부의 권한에 맞먹는 사설 중앙은행의 설립을 시도했다. 미국의 역대 대통령 중 일부는 로스차일드로 대변되는 거대 금융자본조직의 유혹을 뿌리치고 미국의 통화발행권을 위해 끈질기게 싸워왔다.

최초로 미국 화폐를 만들어 유통시킨 벤저민 프랭클린, 토머스 제퍼슨 (미국 3대 대통령), 제임스 메디슨(미국 4대 대통령), 앤드류 잭슨(미국 7대 대통령 Andrew Jackson, 1767~1845), 아브라함 링컨(미국 16대 대통령), 제임스 가필드(20대 대통령 James Abram Garfield, 1831~1881), 워런 하딩(29대 대통령 Warren Gamaliel Harding, 1865~1923), 존 F. 케네디(미국 35대 대통령 John Fitzgerald Kennedy, 1917~1963)가 그 대표적인 인물들이다. 주목할 만한 사실은 케네디 대통령의 암살 이후 공개적으로 국제자본가들에게 도전장을 내미는 겁 없는 정치가는 나오지 않게 되었다는 것이다. 이 위대한 지도자들은 거대한 금융자본으

| 벤저민 프랭클린 | 토머스 제퍼슨 | 제임스 메디슨 | 앤드류 잭슨 | 아브라함 링컨 | 존 F. 케네디

로부터 화폐발행권을 지키기 위해 늘 암살의 위협에 시달렸고, 그 대부분이 비극적인 죽음으로 생을 마감했다. 서로 다른 시대에 살았음에도 이들 미국 대통령들은 개인 소유의 사설 중앙은행이 미국의 통화발행권을 갖는 것에 반대하였고, 그 이유는 동일했다.

우리는 미국의 연방준비은행(FRB)의 설립 과정을 통해 로스차일드 가문의 미국 장악과정을 확인 할 수 있다. 미국의 연방준비은행은 로스차일드 그룹의 대리인(JP모건, 쿤롭社)과 로스차일드가의 재정후원을 받은 미국 산업자본의 대표인 록펠러 가문의 합작품이다.

일찍이 미국의 정치인들은 이러한 자본가들의 야심으로부터 국민들을 보호하기 위해 끊임없이 투쟁해 왔다. 1775년 영국의 식민통치로부터의 해방을 위해 미국은 독립전쟁을 일으켰다. 전쟁의 명분 중 주요 원인은 영국 왕 '조지3세'가 미국의 독립적인 화폐 사용을 금지시키고 영국의 중앙은행에서 이자와 함께 화폐를 빌리도록 강요함으로써 미국이 빚을 지게 되었기 때문이다. '조지3세'는 영국의 화폐 지배권에서 벗어나려는 미국의 독립적 통화 시스템을 불허했고, 이것이 미국 독립운동의 주 명분이 되었다고 '벤자민 프랭클린'은 기록하고 있다.

전쟁에 승리한 미국은 자체적인 중앙은행의 설립을 준비한다. 민간 소유의 중앙은행의 횡포를 깨달은 미국 정치인들은 중앙은행 허가권인 차터권을 연장해 주지 않으려고 했지만, 은행가들의 끈질긴 로비로 의회는 1791년 20년간의 차터권을 가진 로스차일드 소유의 중앙은행인 '미국 제1은행'을 허가하게 된다. 20년의 차터 기간이 끝난 1811년, 미국 내에서는 중앙은행의 독립을 위해 의회의 투표에서 1표 차이로 차터 기간 연장이 부결되고 말았다. 따라서 미국은 국가 소유의 중앙은행을 설립할 수 있게 된 것이었다.

미국 중앙은행의 화폐발행권을 잃게 된 영국의 나단 로스차일드는 영국 정부군대로 하여금 1812년 미국을 침략하게 하는데, 2년 만에 전쟁은 미국의 승리로 끝나게 된다. 그러나 미국은 전쟁을 치르기 위해 로스차일드 은행에 차관을 빌리게 되었기에 전쟁은 미국의 승리로 끝났지만 실상은 로스차일드 은행의 승리로 끝나게 된다.

1816년 미국 의회는 또 다시 민간 중앙은행인 '미국 제2은행'을 허가하는데, 이 중앙은행 역시 로스차일드를 비롯한 유럽 은행가들이 소유하게 되고, 국민 경제는 이들의 횡포로 어지러워진다. 미국의 7대 대통령에 당선된 앤드류 잭슨은 민간 중앙은행을 없애기 위해 빚을 지지 않으려고 공무원을 감축하는 등 애를 썼고, 차터권 연장안에 거부권까지 행사하여 막아내었다. 잭슨 대통령이 미 의회에 보낸 민간중앙은행 폐지 이유서에는 다음과 같이 기록되어 있다. "민간 중앙은행의 8억이 넘는 주식은 외국인(로스차일드가를 비롯한 유럽계 자본가)의 소유다."

재선된 잭슨 대통령이 정부의 돈을 미국 제2은행에서 모두 빼내 정부은행에 입금시키자, 은행들은 통화량을 축소해 경제 불황을 일으킴으로써 이에 맞서게 된다. 1834년이 되어서야 의회는 차터 연장 안을 부결시키고, 미국정부는 국가가 진 빚을 모두 갚음으로써, 정부가 공채 발행 없이 직접 화폐를 발행할 수 있게 되었다. 미국의 중앙은행의 독립이 로스차일드가로 부터 이루어지는 역사적인 순간이었다. 22일 후 잭슨 대통령은 로렌스라는 청년에게 암살 시도를 당하지만 권총이 불발됨으로써 미수에 그치게 된다. 이후로 미국은 77년 동안 정부가 빚을 지지 않고 화폐를 발행할 수 있어 번영을 누릴 수 있었다.

그러나 중앙은행을 뺏긴 은행가들이 가만히 있을 리가 없었다. 그들에게 남은 것은 미국 남부에 침투한 다음, 남과 북이 전쟁을 일으키게 한다는 시나리오였다. 전쟁을 하게 되면 양쪽 정부가 엄청난 빚을 질 것이기 때문이었다. 그럴 경우 어느 쪽이 승리하든 채권자로서 다시 중앙은행의 기능을 통제할 수 있게 되는 것이었다. 그들은 당시 미국사회의 노예 문제가 큰 사회적인 이슈가 되고 있음을 감지하고 이를 이용하기로 하였다. 은행가들의 후원을 받는 프리메이슨 단체인 '금원의 기사단'이 남부 각지에서 선동하자 유니온(연방정부)을 탈퇴하는 주가 늘어 11개 주가 되었고, 이들은 컨페더레이션(Confederation)이라는 연합체를 구성하였다. 링컨 대통령은 노예 문제로 남북이 분열되는 것을 원치 않는다고 재차 공언했지만 소용이 없었다. 남북 전쟁이 발발하자 남군은 은행가들과 은행가들의 조종을 받는 영국과 프랑스의 도움을 받았다. 은행가들은 북군도 전쟁을 하면 당연히 자신들에게 돈을 빌리러 오리라고 생각했는데, 링컨 대통령은 한 푼도 빌리지 않고 그린백(Green back)이라는 지폐를 만들어 사용하였다. 전쟁에서 이긴 링컨은 남부에 배상을 요구하지 않고 포로를 풀어 주어 생업에 종사하게 했다. 이에 대한 링컨의 견해는 다음과 같다.

> 금권(화폐권력)은 평화로운 시기에는 국가를 희생양으로 삼아 번영을 누렸고, 어려운 시기에는 국민을 경제적 희생양으로 삼아 역시 번영을 누렸다. 그것은 군주제보다 더 포악하고, 독재보다 더 거만하며, 관료제보다 더 이기적이다. 나는 가까운 미래에 이 나라에 커다란 위험과 위기가 닥쳐올 것으로 본다. 기업이 왕좌를 차지했으니 당연히 탐욕과 부패가 뒤따를 것이다. 국가의 경제권이 소수의 손아귀에 장악되고, 공화국이 파괴될 때까지 금권은 국민에게 피해를 끼치며 그 권력을 확장할 것이다.
>
> _링컨 미국 16대 대통령

그리고 링컨은 1865년 재당선 된 후 임기를 시작한 지 불과 41일 만에 부스에 의해 암살당했다. 살인 청부업자인 부스는 국제 금융 재벌에게 고용되어 살인을 저질렀지만 그 사건은 은폐되었다. 다행히 차기 대통령이 된 존슨 부통령이 링컨의 정책을 이어 갔고, 남부 주에게 은행 빚을 갚지 말도록 하여 로스차일드가의 미국의 중앙은행을 지배하려는 계획이 실패로 돌아가게 되었다. 그리고 앤드류 존슨 대통령은 사설 중앙은행의 설립을 반대한다는 이유로 은행가의 사주를 받은 살인 청부업자들로부터 여러 차례 암살위협을 받기도 하였다.

문제의 실질적 진실은 앤드류 존슨 시대 이후 정부가 자본에 의해서 소유되어왔다는 점이다. _프랭클린 루즈벨트 미국 32대 대통령, 1933년

로스차일드의 금융대리인 JP모건

JP모건은행의 모태는 영국의 조지 피바디 주식회사 (George Peabody)이다. 조지 피바디는 미국 볼티모어에서 건제품을 취급하여 돈을 모아 1835년 영국 런던으로 진출했다. 금융업 사업 확장을 위해 당시 유행하던 어음 인수와 증권 발행을 주요 업무로 하는 오늘날의 투자은행 개념의 머천트뱅크를 열었다. 그는 영국에서 네이선 로스차일드의 집에 초대받아 로스차일드의 미국 대리인으로 선택되었다. 피바디의 은행은 빠르

| JP모건

▌왕립국제문제연구소

게 성장하였고 후계자가 없던 그는 젊은 주니어스 모건(Junius Morgan)을 영입한 후 모건에게 사업체를 물려주었다.

모건은 회사 이름을 모건사로 바꾸었다. 본사는 런던에 있었고 그의 아들 JP모건이 회사를 물려받은 후 미국 지사 이름이 JP모건이 되었다. 1869년 JP모건은 런던에서 로스차일드 가문을 만나 그들과 계약한 이후 피바디의 대리인 권한을 위임받아 협력관계를 확대하게 된다. 1891년 2월 로스차일드 가문은 영국의 다른 은행가들과 영국 왕실과 함께 소수의 세계 지배자들의 이익을 대변하기 위한 '원탁회의 그룹'을 창설하게 된다. 이것은 향후 영국의 왕립국제문제연구소(Royal Institute of International Affairs, RIIA)로 불리게 되었다.

그 이후 영국의 주요 정치인과 요직은 왕립국제문제연구소라 불리는 채텀하우스[20]에서 배출되게 된다. 1901년 JP모건은 카네기 철강회사를 인수하여 초대형 미국 철강회사(United States Steel Corporation)를 세웠다. JP모건은 단지 9%만이 자신의 지분이었고 나머지는 로스차일드 가문의 지배하에 있었다. 명성이 자자한 모건도 로스차일드의 대리인에 불과한 것이었다.

록펠러가와 로스차일드가

록펠러가(家)가 석유산업에 뛰어든 역사적 시기는 미국의 남북전쟁 시기(1861~1865년)로 거슬러 올라간다. 로스차일드가는 쿤롭(Kuhn Loeb)사를 주축으로 JP모건이 미국 금융가에 지배력을 확장하도록 시도하였으나 미국 산업자본에 대한 장악력은 미미한 수준에 머물렀다. 로스차일드가(家)는 그들의 대리인 쿤롭사의 야곱 쉬프를 통해 록펠러의 석유회사인 '스탠더드 오일 사'에 대규모 금융지원을 하여 당시 클리브랜드 지역에서 활동하던 지역석유 산업이 성장하도록 유도했다.

▌야곱 쉬프

1875년 1월 1일, 야곱 쉬프가 투자은행인 쿤롭은행(kuhn Loeb)의 경영권을 장악한 이후 록펠러의 스탠더드 오일을 비롯한 에드워드 헤리먼의 철도 사업, 앤드류 카네기의 철강 사업에도 대규모 출자를 했다. 아울러 JP모건을 위시한 월가의 주요 금융인들과도 긴밀한 협력 관계를 구축해 유럽에 기반을 둔 로스차일드 가문의 미국 네트워크를 확장했다. 로스차일드가는 JP모건은행과 쿤롭사를 통해 미국철도운수업의 95%의 채권을 장악하게 되었다.

야곱 쉬프는 '사우스 임프루먼트 컴퍼니'(South Improvement Company)라는 회

ExxonMobil

프리메이슨 로고 말타 십자가를 연상케하는 엑슨모빌 로고

암코

셰브론

| 윌리엄 록펠러

사를 설립하여 스탠더드 오일의 석유 운반비를 파격적으로 할인해 주었다. 록펠러의 스탠더드 오일은 강력한 금융자본의 후원아래 20년 만에 미국석유산업의 90%를 장악하게 된다. 결국 스탠더드 오일사는 독점금지법을 적용받아 34개의 회사로 분리되었지만 오늘날 모빌(Mobil), 암코(Armco), 엑슨(Exxon), 셰브론(Chevron) 등으로 유지되어 세계 석유시장을 장악하고 있다.[21]

존 D. 록펠러의 동생 윌리엄 록펠러(William Avery Rockefeller Jr. 1841~1922)는 시티은행(City Bank)의 전신인 뉴욕시티은행의 설립을 주도했고, 그의 손자 제임스 록펠러(James Stillman Rockerfeller 1902~2004)는 시티은행 은행장으로 일했다.[22] 뉴욕의 2대 은행인 체이스맨하탄은행과 시티은행은 모두 록펠러의 지배하에 있고 로스차일드가는 최대 주주로 배후에 있다. 로스차일드의 쿤롭은행은 해리먼의 철도사업, 앤드류 카네기의 철강사업, JP모건의 금융사업의 최대 주주였다. 1913년 3월 11일, 미국의 금융 거물인 모건이 사망하며 공개된 유언장에서 그가 소유한 JP모건의 지분이 겨우 19%에 불과하다는 사실이 드러났고, 나머지 81%는 로스차일드가와 그의 방계 야곱 쉬프의 소유였다.[23]

로스차일드 가문은 미국에 민영 중앙은행을 오래전부터 추진했으나, 목숨을 걸고 화폐발행권을 지킨 링컨과 같은 대통령 때문에 번번이 실패하게 되었다. 1903년 로스차일드의 계획은 미국의 강력한 산업자본에 대한 지배력과 함께 다시금 중앙은행을 지배하려는 야심으로 불타고 있었다. 알프레드 드 로스차일드의 머리에서 구상된 미연방준비은행법안은 폴 워버그를 통해 추진되었다. 폴 워버그는 로스차일드가의 대리인 쿤롭사의 야곱 쉬프

국제금융가문의 중심 로스차일드, 록펠러 3대 가문비교[25]

구분	로스차일드 가문	록펠러 가문
창시자	마이어암셀 (1744 ~ 1812)	존 록펠러 (1839 ~ 1937)
계승자	나단 로스차일드 (1777 ~ 1836)	넬슨 록펠러 (1908 ~ 1979)
경영자	빅터 로스차일드 (1910 ~ 1990)	데이비드 록펠러 (1915 ~ 현재)
후계자	야곱 로스차일드 (1936 ~ 현재)	존제이 록펠러 (1937 ~ 현재)
발상지	독일 프랑크푸르트	미 국
활동지	유럽을 중심으로 전세계	미국을 중심으로 전세계
업 적	유럽 금융장악, 유럽통합	미국패권장악
경영전략	폐쇄적 가족경영	대중적 재단경영
특이사항	일루미나티 공동창시	프리메이슨
표면상 종교	유대교	기독교

처제의 딸과 결혼하게 되고 그의 동생은 야곱 쉬프의 딸과 결혼하여 가문의 결합으로 그들의 이익을 지키고자 했다.

오늘날 미국을 움직이는 정치 자금은 JP모건과 골드만삭스를 통해 대부분 조성되어 민주당과 공화당으로 유입되는 것으로 알려져 있다.[24] 그런데 바로 JP모건과 골드만삭스의 모체가 로스차일드 가문이다. 이러한 로스차일드 가문의 전 세계적 장악력은 비단 금융부문에 국한 되지 않고 식량산업, 종자산업, 군수산업 등 모든 방면에 깊이 있게 침투되어 있다.

미국연방준비은행 'FRB' 설립과정

1900년대 초 미국에서 뉴욕 금융계 인사들에 대한 평판은 매우 나빴다. 상하원 의원들은 민간은행가들이 주장하는 민영중앙은행법안에 대해 압도적인 반대여론을 나타냈다. 이러한 불리한 상황을 돌파하기 위해 다음과 같은 배경하에 거대한 금융위기가 구상 되고 있었다. 먼저 신문과 언론에 새로운 금융 개념을 홍보하는 글을 대량으로 게재했다. 1907년 1월 6일에는 '우리 은행 시스템의 결점과 과제'라는 제목으로 폴 워버그의 글이 기고되었다.

이때부터 폴 워버그는 미국의 사설 중앙은행제도 설립을 제창하는 선봉에 나섰다. 이에 따라 야곱 쉬프는 뉴욕상공회의소에서 "신용자원을 충분히 통제할 수 있는 민간중앙은행을 세우지 않으면 장차 심각한 금융위기를 겪게 될 것이다."라고 주장했다.

국제금융자본이 시장에 지배력을 확장하는 과정은 어항 속의 물고기를 키우는 것과 같다. 국제금융자본은 마치 어항에 물을 붓듯 시중에 돈을 풀어 경제주체에게 대량으로 화폐를 주입했다. 그리고 돈을 풀면 각계각층에서 더 많은 돈을 벌 욕심으로 밤낮을 가리지 않고 일하여 부를 창출하게 되었다. 바로 이 때 어항 속의 물고기가 통통하게 자라면 국제금융자본은 수확의 시기가 왔음을 알고 어항의 물을 뺄 때, 물고기들이 잡혀 먹히는 순간이 오게 된다. 이 어항의 물을 빼고 물고기를 처분하는 시기는 로스차일드를 비롯하여 몇 개의 금융가문이 소유한 대형 은행들만이 알고 있다.[26] 그러나 민영중앙은행제도가 설립되면 어항의 물을 빼는 작업은 더욱 손쉬워진다. 이것이 경제학에서 말하는 인플레이션과 디플레이션을 통한 인위적인 경기조정기능이다. 한 예로 97년도 한국의 외환위기 당시 수십 년 간의 노력으로 성장한 한국 토종 기업들은 로스차일드가의 대리인 소로스가 시작한 금융 공격으로 외환 위기에 처하게 되었고 국제금융자본의 거대한 잔치가 시작된 것이었다. 오랫동안 군침을 흘려온 주요 기업과 산업을 손에 넣고 주요 국책회사를 민영화시켜 이익을 모두 챙겨가는 것이다.

1907년 미국도 동일한 피해자였다. 당시 잘나가던 투신사들은 사회자금을 흡수하여 고수익을 내지만 그만큼 리스크가 높은 업종, 증권, 채권에 투자했다. 모건과 국제금융가문은 미국에서 세 번째로 큰 투신사인 니커보커 트러스트(Knickerbocker Turst)가 파산하리라는 소문을 퍼뜨렸다. 이 소문은 월가에 퍼졌고 돈을 날릴까봐 염려하던 투자자들이 집단으로 돈을 찾는 '뱅크 런' 사태를 겪게 되었다. 은행들은 투신사에 즉시 대출을 상환하라고 요구했고 투신사들은 증권시장에서 돈을 빌렸다. 대출 금리는 단숨에 150%까지 치솟았다. 1907년 10월 24일 주식 거래는 중단되었다.

이 때 뉴욕증권거래소 소장이 모건의 사무실로 찾아와 구조를 요청하며 JP모건이 시장에 등장했다. 증권거래소 소장은 오후 3시 전에 2500만 달러의 결제를 막지 못하면 최소 50개 거래 기업이 파산하며 그렇게 되면 증권시장은 붕괴된다고 내다보았다. 그러자 모건은 긴급금융인 회의를 소집했고, 16분 동안 은행가들은 돈을 모았다. 모건은 즉시 증권거래소에 사람을 보내 10%의 금리로 돈을 빌려주겠다고 하였고 증권거래소는 일제히 환호했다. 그러나 긴급구조자금은 하루 만에 바닥이 났고 8개의 은행 및 투신사는 이미 도산한 상태였다. 11월 2일 토요일 모건은 그동안 군침을 흘렸던 회사들을 하나씩 헐값에 사들였다. 그리고 그는 테네시 석탄회사가 보유한 테네시 주, 앨라배마 주, 조지아 주의 석탄 및 철강 자원이 장차 자신이 세울 US스틸의 독점적 지위를 확고히 해줄 것을 예견하고 있었다. 모건은 무어&실리로부터 테네시 석탄철강회사의 채권을 사들였다. 당시 반독점법을 강력하게 추진하던 루즈벨트 대통령에게 압력을 넣어 11월 3일 일요일 밤, 월요일 개장 전에 대통령의 허락을 받도록 종용했다. 인위적인 금융위기로 토종기업들은 도산하고 평생 모은 저축을 날린 시민들이 분노하는 상황

통화팽창
지폐발행의 증가에 따
른 통화팽창(currency
inflation)의 개념은 오늘
날 가격 상승에 따른 통
화팽창(price inflation)
개념에 완전히 묻혀 버
렸다.

에서 마침내 로스차일드 가문에 의한 미국 내 금융 산업
의 확장을 견제하려던 반독점법은 두 손을 들게 되었다.

결국 루즈벨트 대통령은 11월 4일 월요일 증시 개장 5
분전에 JP모건의 요구를 승인하고 말았다. 모건은 겨우
4500만 달러라는 헐값으로 테네시 석탄철강회사를 인수
했다. 무디스의 설립자 존 무디의 평가에 따르면, 이 회
사의 잠재적 가치는 최소한 10억 달러였다고 기록하고 있
다. 국제금융가들은 미국 전역에서 도산 위기에 빠진 5400개나 되는 중소
은행을 헐값에 사들였다.[27]

모든 금융위기는 정확한 각본에 따라 로스차일드를 최대 주주로 한 국
제금융가문들의 이익을 위해 오늘날에도 진행되고 있으며, 수많은 파산자들
의 눈물 위에 번쩍거리는 은행 빌딩이 세워지고 있다. 국제금융그룹의 자금
지원에 힘입어 인플레이션에 관한 경제학의 연구는 순수 수학 개념의 연구
로 집중되었고, 이제 경제학은 국제금융가들의 실체를 알 수 없는 가운데
미궁 속으로 빠져들고 있다. 또한 통화팽창에 대해 영국의 경제학자 존 케
인스(John Keynes)는 정확하게 지적했다.

정부는 이 방법을 통해 눈에 띄지 않게 국민의 재산을 몰수할 수 있다. 100
만 명 가운데 한 사람도 이러한 절도 행위를 발견해내기 어렵다.

_존 케인스(John Keynes) 영국 경제학자

1910년 대선이 있기 2년 전 랍비 와이즈(Rabbi Isaac Wise)는 뉴저지 연설 중
다음과 같이 말했다.

화요일에 프린스턴 대학의 총장이 여러분의 주지사로 당선될 것입니다. 하지만 그는 임기를 다 채우지 못할 것입니다. 1912년 3월에 그는 대통령에 취임되고 연임되어 미국 역사상 가장 위대한 일을 하게 될 것입니다.

_랍비 와이즈(Rabbi Isaac Wise)의 뉴저지 연설 중, 1910년

윌슨 대통령의 가장 가까운 참모인 와이즈는 2년 전에 대선 결과를 정확하게 예측했고 심지어 6년 후의 대선 결과까지 예측했다. 그는 특별한 예언가가 아니라 연방준비은행을 만들려는 국제금융가들의 계획을 미리 알고 있었기 때문이었다.

국제금융가들의 계획대로 1907년 금융위기는 미국 사회를 흔들어 놓았고 금융개혁에 대한 국민의 목소리는 전국을 휩쓸었다. 당시 프린스턴 대학의 우드로 윌슨 총장은 금융독점을 강력하게 반대하는 인물이었다. 그는 금융독점을 반대하며 대중적 인기를 얻고 있었다. 그는 존 록펠러의 장인으로 월가 금융계 JP모건과 긴밀한 관계에 있으며, 36년 간 상원 금융위원회 회장을 맡은 올드리치 상원의원과 함께 자리하지 않겠다고 선언할 정도로 금융독점에 반대하는 인물이었다. 이처럼 순수한 열정을 가진 윌슨은 금융가의 야심에 완전히 이용당하였다.

우드로 윌슨은 1879년 프린스턴 대학을 졸업하고, 버지니아 대학에서 법학으로 석사학위를 받았다. 1886년 존스 홉킨스 대학에서 박사학위를 받고 1902년 프린스턴 대학 총장에 취임했다. 평생 학계에만 있었던 그는 금융독점에 반대했지만 로스차일

▮ 우드로 윌슨

드가와 록펠러가를 중심으로 하는 국제금융자본의 치밀한 금융전략에는 문외한이었다. 윌슨이 사회에서 인정받는 금융독점반대 운동가이었기에 트로이 목마 전략의 대상으로 가장 적합한 인물이었다.

이러한 전략에 따라 은행가들은 참신한 윌슨을 키워주기 시작했다. 윌슨이 순조롭게 프린스턴 대학의 총장이 된 이면에는 뉴욕 내셔널시티은행의 클리블랜드 도지 이사가 윌슨의 대학동기로서 도와준 결과였다. 국제금융가들의 의도대로 윌슨은 총장이 된지 얼마 되지 않아 1910년 뉴저지의 주지사로 당선된다. 공개적인 장소에서 윌슨은 여전히 정의감에 불타는 어조로 월가의 금융독점을 비난했다. 그러나 사적으로는 자신의 자리와 정치적 생명이 은행가들의 손에 달려 있다는 사실을 알고 있었다. 은행가들은 윌슨의 비난을 용인했으며, 쌍방은 서로 미묘한 관계를 유지했다. 윌슨의 명성

| 미국 연방준비은행

이 날로 높아졌고, 대중적 인기도 높아져만 갔다. 월
슨은 대통령으로 출마하기 위해 브로드웨이 42번가
에 선거 자금 모금 사무실을 차렸고, 선거자금의 3
분의 2는 월가 7명의 큰 손인 로스차일드 대리인과
록펠러 대리인의 정치헌금이었다. 국제금융가문은 항
상 양측을 지원하며, 자신들이 유리한 쪽으로 힘을
실어 전체를 통제하는 '양당통제 구조'를 이미 1900
년대 초부터 활용하고 있었다.

| 넬슨 올드리치 상원의원

이렇게 연방준비은행을 설립할 프로젝트는 치밀하
게 계획되고 시나리오대로 진행되었다. 금융계 거물들은 지킬 섬에서 용의
주도한 계획을 세웠다. 이들은 두 가지 계획을 세웠다. 하나는 록펠러의 장
인인 올드리치 상원의원이 양동(陽動)작전을 주도해 민간중앙은행 설립의 반
대파의 주의력을 올드리치 쪽으로 집중시키는 계획으로 공화당의 지지를 받
았다. 그러나 실제 계획의 핵심은 금융독점을 반대한 월슨 대통령이 있는
민주당 내에서 연방준비은행법을 추진하는 것이었다. 사실 이들 두 계획은
이름만 다를 뿐 본질적으로 같은 내용이었다. 대통령 선거 역시 이러한 핵
심목표를 달성하기 위한 과정의 일환으로 전개 되었다.

올드리치 상원의원과 월가의 결탁관계 및 록펠러가와의 특수 관계는 온
국민이 다 아는 사실이었다. 따라서 공화당의 올드리치 의원이 추진하는 금
융개혁법안은 부결될 것이 확실했다. 이렇게 모든 여론을 공화당의 올드리치
쪽으로 집중시키고 국민을 대신해 월가와 싸워줄 믿음직하고 참신한 월슨을
통해 연방준비은행법을 통과시키려는 계책을 마련하고 있었다.

1907년 금융위기로 금융체제를 개혁해야 한다는 점에서 양쪽 정당과 국

민적 여론이 이미 무르익어 있었다. 국제금융가들은 대중을 좀 더 미혹하고자 이러한 양동작전을 펼친 것이다. 그리고 올드리치 상원의원이 제일 먼저 포문을 열었다. 그는 민주당의 제안이 은행에 대한 적의를 드러낸다고 지적하고, 이는 정부에도 불리하다고 강조하였다. 이에 민주당이 제시한 연방준비은행은 월가의 금융독점구조를 타파하고 12개의 지역에 지역연방준비은행으로 나누어 권력이 분산되는 것처럼 보였다. 대통령이 임명하고 의회가 심의하며 은행전문가가 의견을 제공하는 '상호제약 및 분권 분립체제'의 완벽한 중앙은행 시스템을 세워야 한다고 주장했다.

금융실무에 어두운 윌슨은 이 법안이 월가의 금융독점과 로스차일드가와 록펠러가의 독점 구조를 깰 수 있으리라고 굳게 믿었다. 그러나 그 법안은 국제금융가인 로스차일드가 오랫동안 기다려온 계획이었다. 올드리치와 월가가 총력을 기울여 연방준비은행법안을 반대하는 연기를 훌륭하게 수행한 덕분에 민주당의 연방준비은행법안은 대중에게 호감을 얻었다. 로스차일드의 양동작전이 얼마나 훌륭한지 또 한 예가 있다. 2008년 미국의 금융 위기에 오바마를 대통령으로 당선시키고, 금융개혁을 한다는 미명하에 미국 경제를 몰락시킴으로써 세계중앙은행체제로 재편하려는 전략이 그러하다. 세월이 흘러 주요 배우만 오바마로 바뀐 채 진행되고 있을 뿐이다. 다른 점이 있다면 오바마는 완전히 국제금융가문의 통제 아래 있다는 것이다.

윌슨이 백악관에 입성한지 겨우 석 달이 지난 1913년 6월 26일, 버지니아 하원의원인 은행가 카터 글래스(Carter Glass)가 정식으로 연방준비은행법안을 하원회의에 부쳤다. 이른바 '글래스 제안'(Glass Bill)이었다. 그는 중앙은행과 같은 자극적인 용어를 피하면서 연방준비은행이라는 이름으로 대체했다. 9월 18일 글래스 제안은 287대 85로 통과되었다. 상원에 제출된 이 제안은 '글래스-오언제안'(Glass-Owen Bill)으로 이름이 바뀌어 상원에서 12월

19일 통과되었다. 이 때 두 제안에는 아직 검토할 사항이 40여 군데나 남아 있었다. 당시 관례는 크리스마스 일주일 전에 주요 법안을 통과시키고 나머지는 새해에 진행하는 것이었다. 이 법안에 반대하는 주요 의원들은 대부분 크리스마스를 보내기 위해 워싱턴을 떠나고 없었다. 의회에 임시 사무실을 차리고 현장에서 직접 지휘하던 로스차일드의 대리인 폴 워버그는 치밀한 날치기 통과를 준비했다.

22일《뉴욕타임스》1면에는 금융독점을 개혁하는 것으로 위장된 연방준비법안을 찬성하며 통과시키기 위해 노력하는 의회에 찬사를 보냈다. 여론은 신문을 통해 조작되고 있었다. 1913년 12월 22일 밤 11시 표결이 시작되고 298대 60으로 하원에서 통과되었다. 23일 상원에서도 역시 43대 25(27명 불참)로 '연방준비은행법'이 통과되었다. 윌슨 대통령은 상원에서 통과 된지 1시간 만에 정식으로 법안에 서명했다. 그 순간 월가와 런던 금융시티는 환호했다.

대서양 단독 비행에 성공한 것으로 유명한 찰스 린드버그(Charless Augustus Lindbergh, 1902~1974)의 아버지는 미네소타 주에서 공화당 출신의 의원이었다. 그는 금융 자본가들의 음모를 일찍이 깨닫고 책을 통해 다음과 같이 경고를 한 적이 있다. "금융 제도가 연방준비제도 이사회에 넘어가고 말았다. 이 이사회는 명백히 폭리를 일삼는 집단의 지배 속에서 운영되고 있다."

1913년에 출판된『은행, 통화, 머니, 트러스트(Banking, Currency, and the Money Trust)』와 1917년 출판된『왜 당신의 나라는 전쟁을 하는가?(Why is Your Country at War?)』라는 두 권의 책을 통해 그는 일반 민중이 어떻게 희생당하고 있는지 잘 지적하고 있다. 또한 제1차 세계대전 당시 미국의 은행가들이 전쟁 당사국 양쪽에 거액의 융자를 한 사실을 비난했다.[28] 찰스 린드버그(Charles Lindbergh)의원은 하원에서 다음과 같이 연설했다.

찰스 린드버그

연방준비은행법은 지구상에서 가장 큰 신용을 부여 받았습니다. 대통령이 법안에 서명한 순간부터 금권이라는 이 보이지 않는 정부는 합법화 될 것입니다. 국민은 당장에야 잘 모르겠지만, 세월이 지난 후 모든 것을 알게 될 것입니다. 그 때 국민은 다시 '독립선언'을 해야 금권에서 해방될 수 있다는 사실을 깨달을 것입니다. 이 금권은 최종적으로 의회를 통제할 수 있습니다. 우리 상원의원과 하원의원들이 의회를 속이지 않으면, 월가는 우리를 속일 수 없습니다. 우리가 국민의 의회를 가졌다면 국민은 안정된 생활을 할 수 있을 것입니다. 의회가 저지른 최대의 범죄는 바로 화폐 체제 법안인 '연방준비은행법'입니다. 이 은행법의 통과는 우리 시대의 가장 악랄한 입법 범죄입니다.

_찰스 린드버그 하원의원

시어도어 루즈벨트(Theodore Roosevelt, 1858~1919) 미국 26대 대통령은 대통령직에서 물러난 뒤 의미심장한 말을 남겼다. 그 내용은 다음과 같다.

이러한 국제적인 은행가들과 록펠러 스탠더드 석유 일당은 표면에 드러나지 않는 음지의 정부를 구성하는 권력을 손에 쥐고 있으며, 강제적으로 여론을 형성하고 부패한 명령을 거부하는 공직자들을 내쫓기 위해 이 나라의 많은 신문과 그 신문들의 투고란을 지배하고 있다.[29]

_ 미국 26대 대통령 시어도어 루즈벨트, 『뉴욕타임스』

당시 뉴욕 시장 존 하일런(John F. Hylan, 1868~1936)의 기고문에서도 이런 사실을 확인 할 수 있다.

> 그들은 오늘날 우리의 정부 고관과 의회, 학교, 법원, 신문사, 각종 정부기관을 먹어치우고 있다. 막연한 일반론을 집어치우고 단도직입적으로 말하자면, 이 문어의 머리는 록펠러의 스탠더드 석유 일당과 일반적으로 국제은행가라고 불리는 소수의 힘 있는 은행가들이다. 이 소수의 힘 있는 은행가들은 이기적인 목적을 위해 합중국 정부를 사실상 운영하고 있다. 그들은 2대 정당을 지배해 정당의 강령을 만들고 자신들의 앞잡이가 될 정당 지도자를 양성하고 있다. 이들은 부패한 대기업의 명령에 순종하는 자만이 정부의 고관으로 지명되도록 획책하고 있다. 이들 국제 은행가들과 록펠러는 이 나라의 거의 모든 신문과 잡지를 지배하고 있다.[30]

_존 하일런(John F. Hylan)뉴욕시장의 기고문 중에서, 『뉴욕타임스』 1922. 3. 26.

그러나 주요 언론은 이 법안의 통과에 호평으로 일관했고, 윌슨이 금융개혁을 완성했다는 로스차일드의 입장을 대신해 축하해 주고 있었다. 연방준비은행의 일등 공신 올드리치 상원의원은 1914년 7월《인디펜던트(Independent)》지와의 인터뷰에서 이렇게 밝혔다. "연방준비은행법이 나오기 전에는 뉴욕의 은행가들이 뉴욕 지역의 자금만 장악할 수 있었다. 그러나 이제는 국가 전체의 은행 준비금을 주관할 수 있게 되었다."

전시안문양의 CBS로고와 CBS전 사장 리처드 샐런트

우리가 하는 일은 사람들이 알고 싶어 하는 것을 보도하는 것이 아니라 사람들이 알아야 한다고 우리가 결정한 내용을 보도하는 것이다.

_리처드 샐런트(Richard S. Salant) 전 CBS뉴스 사장

이러한 언론의 역할에 록펠러는 깊은 감사를 표했다.

워싱턴 포스트와 뉴욕타임스, 타임스, 그리고 그 밖의 위대한 언론 매체의 편집장이 우리 모임에 참석하여 심사숙고하겠다는 약속을 40년이라는 긴 시간 동안 지켜준 데 깊이 감사한다. 만약 그동안 언론이 우리에 관한 기사를 썼다면 세계에 초점을 맞춘 우리의 계획은 진행되지 못했을 것이다.

_데이비드 록펠러 David Rockerfeller

로스차일드가의 국제금융그룹은 미국정부와의 100년에 걸친 치열한 결투 끝에 마침내 그들의 목적을 달성하고 미국의 화폐발행권을 완전히 장악하는 것으로 끝이 났다. 즉, 런던시티금융을 완전히 장악한 로스차일드의 완벽한 승리였다. 우드로 윌슨은 오랜 시간이 지난 후에야 자신의 판단이

완전히 은행가들에게 속은 것임을 깨닫게 되었다. 하지만 너무 늦은 후회였다. 그의 회고록에는 다음과 같이 표현되어 있다.

> 한 위대한 공업 국가는 신용 시스템으로 단단히 통제된다. 이 신용 시스템은 고도로 집중되어 있다. 이 나라의 발전과 우리의 모든 경제 활동은 완전히 소수에 의해 좌우된다. 우리는 가장 악랄한 통치의 함정에 빠져들었다. 즉, 세계에서 가장 완벽하고 가장 철저한 통제를 받고 있는 것이다. 정부에게는 더 이상 자유로운 발언권이 없으며, 죄를 다스릴 사법권도 없다. 이제 정부는 다수 의견으로 선거하는 정부가 아니라 극소수의 지배권을 가진 자의 강압으로 움직이는 힘 없는 정부이다.
>
> _우드로 윌슨(Woodrow Wilson) 미국 28대 대통령

오늘날 기축통화인 달러를 찍어내는 FRB(연방준비은행)는 100퍼센트 사설 기관이다. 1913년 설립 이후 단 한 번도 외부감사를 받지 않았다. 로스차일드가는 마이어 암셀 로스차일드가 꿈꾸던 세계의 화폐발행권을 소유하게 된 것이다. 인류역사에서 최초로 그들의 통치권은 쉽게 대중에게 보이지 않게 되었다. 이로 인하여 그들은 영원히 다스릴 수 있는 제국을 만들게 되었다.

일반인들에게 오랜 세월동안 FRB의 소유권이 누구에게 있었는지는 베일에 가려 있었다. 로스차일드가 지배하는 잉글랜드 은행과 마찬가지로 미국 FRB도 주주의 상황에 대해서는 엄격한 비밀을 유지했다. 미국 연방준비은행의 실제 소유자는 로스차일드은행(런던), 워버그은행(함부르크), 로스차일드은행(베를린), 자라르페레르(파리), 뉴욕 내셔널 시티은행(뉴욕), 이스라엘 모제

스쉬프은행(이탈리아), 워버그은행(암스테르담), 체이스맨해튼은행(뉴욕)으로 판명되었다.[31] 모두 로스차일드 가문과 연결되어 있는 은행이다.

나치정권에 천문학적인 재정을 지원한 것도 로스차일드의 자금이 미국에 건너가 자리 잡은 국제유태자본이었다. 그들은 세계대공황을 통해 전 세계 경제 장악력을 확대하였다. 뉴욕은행 법인 연합(Union Banking Corp. New York City)은 히틀러에 대한 경제적 후원 뿐 아니라 2차 세계대전 기간에 전쟁 물자 지원은 물론, 나치의 불법 자금세탁까지 도맡았다. 2차 세계대전 중 뉴욕은행법인연합에서 '적대국 교역 금지법' 위반 혐의로 체포된 사람은 조지 W. 부시의 할아버지 프레스캇 부시(Prescott Bush, 1895~1972)였다. 이러한 사실은 1920년대 미 하원 금융통화위원회 위원장을 역임한 루이스 맥파든(Lewis T. McFadden)의원에 의해 밝혀진다. 그는 1931년 국제유태자본에 대하여 다음과 같이 경고했다.[32]

1차 세계대전 이후 독일은 국제유태자본가들의 손에 완전히 장악되었다. 한마디로 그들은 독일을 사들인 것이다. 그들은 독일의 산업을 장악해서 독일인들이 자기네 땅에서 노예가 되도록 했을 뿐만 아니라, 생산 분야를 조종해 전 독일의 생명선을 장악했다. FRB를 통해 독일에 300억 달러가 넘는 미국 자금이 투입되었다.

_루이스 맥파든 하원의원

1978년 6월 15일 미국상원 정부사무위원회는 『미국 주요 기업의 상호 이해관계에 대한 보고서』를 발표했다. 이 보고서에 따르면 로스차일드가와 록펠러가가 지배하는 미국의 주요 은행들이 130개 주요 기업 내에서 470개의 이사직을 차지하고 있으며, 주요 회사에 평균 3.6명의 이사가 은행가들로 채워져 있다고 보고했다. 그 중 씨티은행이 97석, JP모건 99석, 케미컬은행 96석, 체이스맨해튼은행 89석, 하노버은행이 89석의 이사직을 차지했다. 이로써 미국의 금융과 산업은 완전히 소수의 은행가에 의해 지배받게 되었다.

미국의 정치자금은 JP모건과 골드만삭스를 통해 대부분 조성된다. JP모건과 골드만삭스의 모체 금융자본은 역시 로스차일드 가문이다. 로스차일드가의 지원으로 성장한 록펠러 가문 역시 로스차일드와 함께 세계단일정부를 만들어 가는 핵심이다.

록펠러가 설립한 시카고 대학의 한스 모겐소(1891~1967) 교수는 로스차일드가의 국제 지배력을 정리한 현실주의 국제정치학을 정립했다. 또한 록펠러의 오른팔 헨리 키신저(1923~)는 그의 수제자였다.[33] 헨리 키신저는 하버드 대학에서 로스차일드 가문의 힘을 입증하는 '1812년 비엔나 체제'를 박사 논문으로 썼고, 그 후 하버드 대학 교수로 있다가 록펠러의 외교 협의회의 추천을 받아 미국의 국무장관으로 백악관에 입성한다.

워싱턴에 위치한 많은 두뇌 집단(think tank)중에 카네기평화재단연구소가 있다. 그리고 같은 건물 안에 유대안보연구소(JINSA)가 있다. 미국의 쉬프 가문, 록펠러 가문, 카네기 가문이 유대적인 네트워크를 통해 로스차일드 가문과 연결되어 세계사의 흐름을 결정하고 있음을 보여주는 생생한 예 중 하나이다.[34]

빌 클린턴 미 대통령에 의해 언급된 전 세계의 불량국가는 쿠바, 북한, 아프가니스탄, 이라크, 이란, 시리아, 수단, 리비아, 파키스탄 이상 9개 국가에 이른다. 그리고 이 불량국가로 지목된 나라의 공통점은 국제 금융가가 통제하는 중앙은행이 없다는 점이다.[35] 2002년 아프가니스탄과 2003년 이라크는 전쟁 이후 중앙은행이 설립되었다. 2011년 나머지 불량국가인 리비아를 시작으로 국가 체제가 붕괴되고 있다. 그리고 세계중앙은행 창설을 위한 중앙은행이 만들어 지고 있다.

아무도 간섭 못하는 미국 제4정부 'FRB'

2003년 7월 21일자 경제 신문《머니 투데이》에는 "아무도 간섭 못하는 미국 제4정부, 경제 사령탑 연방준비은행(FRB)"이라는 기사가 실렸다. 그 기사의 내용을 요약하면 다음과 같다. 미국에는 행정부, 입법부, 사법부의 3부 외에 제4부가 있다. 이것은 다름 아닌 미국 경제의 사령탑 연방준비제도이사회(FRB-Federal Reserved Board)이다. 국가마다 하나씩 존재하기 마련인 중앙은행이지만 미국의 중앙은행인 FRB를 제4부로까지 승격시켜 부르는 데는 그만한 이유가 있다. 그것은 어떤 정부기관으로부터도 간섭받지 않는 강한 독립성을 갖고 있다는 것과, 그곳에서 결정되는 사항이 미국은 물론 전 세계경제에 미치는 파급효과가 막대하기 때문이다. 따라서 전 세계 금융시장이 FRB의 일거수일투족에 촉각을 곤두세우는 것이다.

FRB는 준 입법 및 사법적 기능을 법적으로 보장받아 독자적으로 규정을 제정, 강제 집행하고, 분쟁을 조정할 수 있는 권한을 갖고 있다. FRB의 세 가지의 주요 기능은 다음과 같다. 첫 번째는 통화정책의 결정 및 집행, 두 번째는 금융시장의 건전성 확보를 위한 금융기관 감독, 세 번째는 화폐발행 및 정부 여신이다. 또한 이들은 독립적인 인사권을 갖고 있는데, 이는 외관상 대통령과 상원·하원의 동의를 거쳐 임명되는 것처럼 보이지만 그 인사를 추천하는 7명의 이사진은 임기가 14년으로 되어있고 2년마다 한명씩 교체되어 대통령이 일시에 해임 할 수 없도록 되어 있다. 그러므로 겉으로 보이는 것과 달리 사실상 외부의 개혁으로부터 철저하게 보호되도록 제도적인 장치가 되어 있다.

제 2 장

세계단일화폐 수립을 위한 세계화

다국적기업으로 변신한 로스차일드

런던에 위치한 로스차일드부자(父子)은행은 1, 2차 세계대전을 통해 조직 개편을 단행했다. 로스차일드 그룹의 은행들은 국가를 대상으로 하는 국공채 발행, 대규모 SOC사업융자 등 머천트 뱅크(Merchant Bank) 업무만을 담당하였고 개인을 대상으로 하는 일반 예금 및 저축은 취급하지 않았다. 경영 제도 역시 무한책임의 가족 공동경영을 하였다.

이러한 가족 파트너십이 계속되다가, 세월이 흘러 세금제도가 엄격해 짐에 따라 상속세를 피하기 위해 이들은 조직의 근대화를 추진한다. 1947년 지주회사인 '로스차일드 컨티뉴에이션'을 설립했다. 로스차일드부자회사는 지주회사의 자회사로 편입되었고 자회사들은 법인화를 통해 주식회사로 개편했다.[36] 로스차일드 컨티뉴에이션은 로스차일드가가 100% 지분을 갖고 있다. 또한 로스차일드회사의 주식은 일반인에게 공모하지 않으며 가문이

| 시티 오브 런던의 로스차일드 로고

| 로스차일드 문장 마크

▌와인 표지 위의 프리메이슨 로고

100% 분배하여 나눠 갖고 있다. 로스차일드 일족 외에 주식을 소유한 최초의 사람은 1960년 처칠 수상의 개인비서 데이비드 콜빌(David Colville)이다.[37]

로스차일드부자은행의 경영자는 영국시티에서 잉글랜드은행 총재 다음으로 중요한 영국 머천트뱅크증권업협회의 회장직을 대대로 역임하고 있다. 그들은 잉글랜드은행의 이사도 겸임하고 있다. 영국의 로스차일드 가문은 세계 제2의 금융 도시인 런던의 시티오브런던(City of London)에서 세계의 중심 지역을 지배하는 13인 위원회의 수장으로 현재까지 군림하고 있다.[38]

전 세계 로스차일드 가문이 지주회사를 통해 지배하는 회사는 다음과 같다. 항공관리회사(SAGA), 유럽물류회사(CEGF), 프랑스주택건설회사(SNC), 대서양석유회사(ANTAR), 전 세계 호텔관리회사(PLM), 다국적기업 이메탈(IMETAL), 스페인탄광기업(Penaroya), 유럽 최대광물자원회사(SLN), 유럽중앙은행(ECB)[39], 미국의 연방준비은행(FRB), 홍콩상하이은행(HSBC), 세계 최대 석유산업(Royal Dutch shel) 세계 다이아몬드 산업 독점(De Beers 社), 레저산업, 백화점, 프랑스 최고급 와인산업, 알리안츠 보험그룹, 홍차 립톤(Lipton), RIT캐피탈, 로스차일드 어셋

알리안츠 보험그룹
알리안츠화재생명보험과 알리안츠해상화재보험은 2011년 현재 1900여 년의 역사와 함께 유럽최대보험회사로 자리매김하고 있으며, 로스차일드가문은 대주주로 있다.

매니지먼트를 통한 전 세계 1400개 바이오회사 등이 있다. 그들의 세계적 지배력은 추정할 수 없을 정도로 넓고 깊게 뿌리내리고 있다.

각국의 민족자본을 통제하는 로스차일드

1991년 1월 24일자 『유대신문(Jewish Post)』에서는 블라디미르 레닌이 유대인이라는 사실을 밝혔다. 1917년 러시아 로마노프 왕조를 타도하고 소비에트 정부를 세운 레닌의 본명은 블라디미르 일리치 울리야노프이며, 현재 러시아 권력의 심장부인 모스크바 크렘린에 안치되어 있다. 레닌 주도의 볼세비키 혁명 이후 성립된 소련 정부의 각 위원회 구성에서 자칭 유대인이 차지한 비율을 살펴보면 인민위원회 77.3%, 군사위원회 76.7%, 외무위원회 81.2%, 재무위원회 80%, 지방위원회 91%, 사법위원회 95%, 그리고 사회위원회 100% 등 모든 위원회 구성에서 그들의 비율이 평균적으로 최소 75% 이상을 차지했다. 게다가 1918년 4월 『런던타임즈』 기사에 따르면, 새로운 러시아 정부의 인민위원회 384명 가운데 300명 이상이 유대인이었으며, 그들 중 264명은 로마노프 왕조가 붕괴된 이후 미국에서 러시아로 건너온 유대인들이었다.

유대인 레닌과 트로츠키가 주도한 러시아 혁명에 자금을 지원한 세력은 로스차일드 가문의 대리인 유대인노동자총연맹의 야곱 쉬프(Jacob Henry Schiff, 1847~1920)와 미국연방준비위원회 위원장이며 록펠러의 장인 폴 워버그(Paul Warburg, 1868~1932), 그의 동생 펠릭스 워버그(Felix Warburg, 1871~1937), 오토 칸(Otto Kahn) 등이었다. 이들의 공통점은 세계금융을 독점하는 국제금융가들이라는 점이며 로스차일드 가문과 맺고 있는 유기적인 관계를 고려할 때, 러시아 공산당 혁명과 로스차일드 가문은 불가분의 관계에 있다고 볼 수 있다.[40]

레닌은 "중앙은행을 설립하면 국가의 공산주의화는 90% 가량 달성된다."는 말을 남겼다. 1918년 1월 30일자 『뉴욕타임즈』 기사에 따르면 "소련 인민위원회는 국가에 의한 금의 독점을 명령했다."고 밝히고 있다. 또 다른 측면에서 바라보자면 유대인 지도자 그룹에 의해 조직되어 수행된 공산주의 혁명은 러시아의 금을 독점하기 위한 금융 전쟁의 측면을 포함하고 있었던 것이다.

러시아의 알렉산드르 1세가 비엔나회의에서 로스차일드 가문에 대하여 대결 구도를 형성하자, 1815년 로스차일드 런던 분가의 수장 나단 로스차일드는 러시아 황족 일가를 상대로 전면전을 선포했다. 1863년 러시아에서 로스차일드의 국제금융자본과 전쟁을 치르던 알렉산드르 2세는 미국의 로스차일드 중앙은행 설립에 저항하며, 급기야 남북전쟁을 치렀던 링컨 대통령에게 도움의 손길을 요청했다. 그리고 알렉산드르 2세는 로스차일드의 자본독점시장을 개척하기 위한 계략을 짰고, 곧바로 링컨 대통령에게 영국과 프랑스의 군대가 미국의 남북전쟁에 개입할 경우, 러시아의 태평양 함대 일부를 샌프란시스코와 뉴욕으로 보내 지원하겠다는 의사를 타진했다.[41] 그로부터 100년 후 공산당 혁명이 발발해 러시아 황족 일가는 모두 몰살되었다. 즉, 국제 사회의 가짜 유대인들이 사회에 대한 지배력을 높이게 됨으로써 기독교 말살 정책을 시행하기 시작한 것이다. 이들의 공산주의 혁명은 동시에 기독교의 완전 파괴를 위함이었다.

로스차일드가가 러시아 왕조를 전복한 의도는 1905년 발생한 1차 혁명 당시, 러시아 외무장관이던 블라디미르 람스도르프(Vladimir Lamsdorf)가 니콜라이 2세(Aleksandrovich Nikolai, 1898~1917)에게 보낸 비밀 보고서에 극명하게 나타난다.[42]

러시아혁명 운동은 외국의 지원을 받는 데 그치는 것이 아니라 외국에서 조종되고 있다는 추론도 가능합니다. 그 폭력성에 있어 유례가 없던 지난 10월의 총파업(러시아 철도 노동자의 동맹파업) 당시, 러시아 정부는 때마침 로스차일드 계열의 금융사들을 배제한 채 차관 도입을 성사시키기 위해 노력 중이었다는 사실에 특별히 주목할 필요가 있습니다. 사전에 정보를 입수한 유대 자본가와 은행가들은 의도적으로 루블을 대량 매도함으로써 외환시장에서 공황 사태를 야기해 러시아 정부의 차관 도입을 무산시켰으며, 급락하는 러시아 환율에 대한 투기로 막대한 이윤을 남겼습니다. 우리 측 정보국 요원들이 확인했듯이 러시아에서 활동하는 유대계 마르크스주의 테러단체들을 무장시키기 위해 유대 자본가들은 자금 모금 위원회를 결성했습니다. 또 영국에서는 로스차일드 경의 주도하에 유대인 피해자들을 돕는다는 명분으로 기금 모금 운동이 진행되고 있습니다.[43]

_황제 니콜라스 2세에게 보낸 비밀 보고서, 1906. 1. 3.

또한 로스차일드 측은 1904년 러일전쟁에서 패전 직전에 있던 일본에 대한 천문학적인 군수 자금을 지원한다. 야곱 쉬프는 1,000만 파운드(현 시세로 160억 달러)에 달하는 천문학적인 공채를 매입해줌으로써 일본이 러일 전쟁에서 승리할 수 있는 결정적인 계기를 마련해 준다. 이 막대한 자금으로 일본은 영국군함을 임차하여 러시아 극동 함대를 격파할 수 있었다. 훗날 일본 천황이 국빈 자격으로 초청한 야곱 쉬프에게 작위를 수여한 것도 이에 대한 감사의 표시였다.

그러나 전쟁을 통해 결국 최종적인 이득을 보는 곳은 승전국인 일본이 아니라 일본에 막대한 채권을 보유하고 있는 유대계 금융가들이었다. 이는 전쟁을 통해 부채를 극대화하라는 『시온의 의정서』 2장의 주요 전략을 그대로 시행한 것이다.[44]

1917년 3월 혁명으로 마침내 러시아 왕조가 무너지자 제정 러시아를 대체할 임시정부가 결성되었다. 그 때 야곱 쉬프는 무려 2,000만 달러를 지원하며 러시아에 있던 가짜 유대인(아슈케나지)들이 공산주의 혁명을 주도하도록 적극적으로 후원하였다. 야곱 쉬프는 초대 외무장관 미이우코프에게 다음과 같은 축전을 보낸다. "우리 동족 유대인(아슈케나지)에게 무자비한 박해를 가해온 전제 폭군을 타도한 러시아 국민에게 경의를 표합니다. 귀하와 새로운 정부의 성공을 기원하며, 만세!"

볼세비키 혁명(1917년 11월 7일)의 승리로 새롭게 정권을 장악한 소비에트 정부는 야곱 쉬프가 사망한지 1년 뒤인 1921년, 6억 루블을 쿤롭은행에 예치함으로써 그에 대한 감사를 표했다.[45]

1918년 1월 30일자《뉴욕타임스》기사에 따르면 "소련 인민위원회는 국가에 의한 금의 독점을 명령했다"고 밝히고 있다. 한편, 러시아의 공산주의 혁명은 로스차일드에 의해 조직적으로 지원된 것이었다. 이것은 로스차일드가 러시아의 금을 독점하기 위해 계획한 '금융전쟁'의 측면을 포함한 것이다.[46] 결국 러시아 공산 혁명은 러시아의 민족자본이 국제자본으로 발전 할 수 없도록 로스차일드가가 의도한 '보이지 않는 금융전쟁' 것이다.

독일 태생으로 영국으로 건너가 사회주의 혁명의 모티브를 제공한 칼 마르크스의 『자본론』과 로스차일드의 국제자본주의는 자본과 혁명을 통한 세계 통합을 주창했다. 칼 마르크스의 국제공산화혁명은 결국 러시아의 자본이 단결되지 못하도록 하였고, 이로써 이들의 자본은 국제자본으로 발전하지 못하여 능히 국제유태자본을 대항할 수 없게 되었다.

러시아의 붕괴를 위해 협조한 세력이 로스차일드 가문과 연결되어 있음을 다음과 같은 사람들을 통해서 알 수 있다. 1990년대 이후 구소련의 붕괴 당시 러시아의 옐친 정권과 국제사회에 등장한 '올리가르히'로 통칭되는 유대계 부호 7인(보리스 베레조프스키, 블라디미르 구신스키, 블라디미르 포타닌, 미하일 호도르코브스키, 알렉산드르 스몰렌스키, 미하일 프리드만, 표트르 아벤)은 모두 유대계 인물들이다. 이들은 푸틴 정권이 등장하자 러시아를 떠나 영국과 이스라엘 등으로 대거 정치 망명을 했다. 블라디미르 베레조프스키의 수하인인 로만 아브라모비치는 영국 명문 축구팀 '첼시'의 구단주이기도 하다. 미하일 호도로프스키는 로스차일드의 대리인 조지 소로스가 운영하는 열린 러시아재단(Open Russia Foundation)과 깊은 연관성이 있다.[47]

중국의 아편전쟁은 이러한 측면에서 볼 때 중국의 화폐제도를 붕괴하려는 로스차일드가의 전략이었다. 그들은 사단을 숭배하는 프리메이슨들을 선교사로 위장시켜서 중국에 들여보냈다. 그리고 이러한 가짜 선교사들은 중국 내륙의 깊숙한 곳 까지 아편을 공급하면서 로스차일드가의 금융독점 선발대가 되었다. 결국 아편전쟁으로 중국의 은본위제 금융시장은 완전히 붕괴되었고 홍콩상하이은행(HSBC)을 통한 중국 민족자본에 대한 통제는 점차 확대되어 갔다.

또한 1997년 아시아 통화위기도 로스차일드의 대리인 조지 소로스가 연출했다. 국제금융자본이 통제한 IMF는 한국의 신흥 산업자본을 흡수하여 통제하였고, 한국의 '금 모으기 운동'은 서민의 애국심을 악용하여 한국의 금을 획득하려는 국제금융가들의 계략이었다. 그 중심에는 로스차일드 가문을 정점으로 록펠러와 신흥 가문들이 있었다.

로스차일드가와 국제금융가들의 세계 장악 과정

19세기 강대국들의 거대한 식민지 경쟁 뒤에는 강력한 자본가 집단들의 통제가 있었다. 이 은행가들은 국가라는 이름을 빙자한 정부와 군대로 하여금 자신들을 대신하여 시장을 개방하도록 요구해 왔고 많은 정치인들이 훌륭히 그 임무를 수행해 내었다. 그리고 세월이 흘러 식민지 시대는 막을 내렸고 식민지 국가를 통치하던 강대국들은 떠났다. 그러나 그 땅에 세워진 은행들은 여전히 채권자로 군림하고 있다. 그러나 누구도 그들을 지배자라고 생각하지 않는다.

본격적으로 19세기에 들어서자 각국의 자본을 소유하던 은행가들은 개척 국가에 채권을 발행하여 국가 SOC사업을 기획하였고, 그 나라에 근대화 과정을 추진할 것을 요구하기 시작했다. 그리고 이 요구를 해당 국가가 수락하면 막대한 자본을 차관해 주었고, 대신 이자를 요구하며 그 나라의 국가 지배력을 확대해 나갔다. 이렇게 차관된 자본은 강대국의 기업가들에게 거대한 토목 사업권으로 다시 넘겨졌고 차관된 돈은 고스란히 자본가들의 오른쪽 주머니에 다시 들어갔다. 그리고 채권을 발행하는 해당 국가는 이자를 부담해야했고, 국민들은 이자를 부담하기 위해 막대한 세금을 내야하는 시스템이 작동되기 시작했다. 국민들이 이에 저항할 경우, 국제금융가들은 전쟁을 치를 합당한 명분을 갖게 되어 전쟁을 치르며 더 많은 전쟁배상비용을 국가에 부담시킨다. 따라서 국민들은 더 많은 세금을 내야하는 숙명적인 노예 시스템 속에 빠져들게 된다.

1874년 중국의 청나라 정부는 두 영국계 자본에 의해 채권발행 계약을 체결했다. 이것이 바로 유명한 홍콩상하이은행(HSBC)과 자딘메이슨이었다. 청나라 정부는 1895년 로스차일드가의 HSBC를 통해 채권 발행을 하지 않고 러시아로부터 1,500만 파운드의 차관을 빌려 일본에 전쟁 배상금으로 지불했다. 러시아가 빌려준 1,500만 파운드의 자금은 프랑스의 파리은행을 통해 조달한 것이었으므로 프랑스와 러시아도 중국에 채권자 역할을 할 수 있었다.

그러나 1898년 청나라 정부는 HSBC은행에 1,600만 파운드를 차관하기로 계약했다.[48] 이 막대한 돈은 청나라의 철도개발 SOC사업을 위해 투자된다. 1898년 9월 은행가들은 런던의 회담장에 모여 중국 철도 관할권을 은행가들이 나눠 갖기로 합의했다. HSBC는 양쯔강 연안의 노선, 독일은행가들은 산둥 반도 노선, 텐진-친황다오 노선을 나눠 갖기로 합의하며 차관한 돈을 다시 그들의 오른쪽 주머니로 회수하였다. 그 과정에서 중국의 의견은 조금도 반영되지 않았다. 중국은 갚아야 할 빚만 늘어나고 있었고 국민들의 세금 부담은 계속 늘어나게 되었다.

이 와중에 중국에서는 의화단운동이 일어난다. 즉, 청나라 말기에 외세 자본을 배척하려는 운동이 일어난 것이다. 은행가들은 기다렸다는 듯이 은행가들의 충실한 군대인 열강 8개국의 연합군으로 하여금 중국의 베이징을 점령하도록 했고 청나라에 막대한 전쟁 배상금을 물렸다. 그들은 그 돈을 감당할 능력이 없는 중국에게 다시 자신들의 은행가의 돈을 빌려 갚으라고 주선함으로써 중국은 막대한 이자를 내야만 했다. 그리고 중국 국민을 영구히 이자를 낼 수밖에 없는 시스템 속에 가두고 말았다. 그리고 100여 년의 세월이 지났다. 로스차일드의 HSBC는 여전히 중국의 채권자이며 홍콩 달러 발권은행으로 남아 있다.

국가의 체제는 변화한다. 국가의 지도자도 바뀐다. 그러나 빚은 영원히 남아 있다. 혹여나 그 빚을 갚지 않을 것 같은 움직임을 보이면 어김없이 강대국의 군대가 나선다. 그리고 빚은 더 늘어난다.

그런데 이보다 더 기막힌 통치 방법이 있다. 그것은 각 해당 국가의 중앙은행의 발권기능을 은행가들이 통제하는 것이다. 만약 전 세계 중앙은행의 발권기능을 몇몇의 개인 집단이 통제하게 된다면 전 세계의 시민들은 국가의 세금을 갚기 위해서 끊임없이 노예처럼 일을 해야 할 것이다. 그런데 더욱 기막힌 사실은 이러한 이자 시스템이 21세기를 살아가는 오늘날에 실제적으로 운용되고 있다는 것이다.

전쟁을 통한 국제금융자본의 세계화 과정

미국을 장악하고 러시아 혁명을 지원해 러시아 왕조까지 무너진 상황에서 이제 더 이상 은행가들의 적은 없었다. 이제 남은 일은 선진국들끼리 세계 전쟁을 일으켜 전쟁 당사국이 빚을 지게 하여 더 확고히 그들을 장악하는 일이었다.[49] 전쟁을 돈이라는 측면에서 바라보면, 은행은 전쟁 전과 전쟁 중에 필요한 경비를 당사국에 조달해주며, 전쟁 후에는 패전국의 재건사업에 돈을 빌려주는 역할을 한다.

어느 쪽이 이기든 전쟁에 참여한 양쪽 국가의 부채는 증가한다. 이에 따라 로스차일드와 록펠러를 비롯한 소수의 지배력 아래 있는 국제금융가와 군수복합체는 1913년 미국연방준비은행을 장악한 이후 제1차 세계대전과 제2차 세계대전, 한국전쟁과 베트남 전쟁을 통해 막대한 이익을 창출하게 된다.

시온의 의정서에는 1, 2, 3차 세계대전을 통해 적그리스도가 등장할 신세계질서를 완성한다고 기록되어 있다. 이것은 그들의 사단숭배종교인 일루미나티가 세계를 완전히 장악하여 기독교를 말살하려는 계획 중의 하나이다.

그런데 사단을 숭배하는 집단의 계획도 실상은 성경의 말씀이 완성되기 위한 하나의 과정임을 우리는 깨달아야 한다. 예수님을 십자가에 못 박음으로써 사단 진영은 승리를 외쳤지만 그것 또한 하나님께서 말씀을 완성하시기 위한 계획 안에 있었다. 이러한 하나님의 계획 안에서 예수께서는 부활하심으로 지옥의 권세를 깨뜨리고 생명의 길을 우리에게 주셨다. 이에 반해 자칭 유대인 집단 즉, 성경에서 말하는 '사단의 회당'의 핵심 세력이 추구하는 3차 세계대전과 세계단일정부, 세계단일화폐, 짐승의 표는 필연적으로 우리의 시대와 삶 속에 파고들고 있다.

하지만 이 모든 일들이 하나님의 계획하에 이뤄지고 있는 한, 사단은 태생적인 한계를 지닌 '도구적인 존재'일 뿐이다. 즉, 사단의 핍박은 순결한 그리스도인을 순교의 세대로 다시 단련시키고 참된 평화이신 예수 그리스도께서 재림을 완성하시기까지 그들 또한 쉬지 않고 활동하는 것이다.

> 하나님의 성소에 들어갈 때에야 그들의 종말을 내가 깨달았나이다.
> 주께서 참으로 그들을 미끄러운 곳에 두시며 파멸에 던지시니 그들
> 이 어찌하여 그리 갑자기 황폐되었는가 놀랄 정도로 그들은 전멸하였
> 나이다 시편 73:17-19

■ 프레스캇 부시

IG파펜은 독일에서 세계1, 2차 대전에 사용된 폭약의 80%을 생산한 기업이다. IG파펜의 파트너는 록펠러의 스탠더드 오일이었다. 사실상 독일 공군은 스탠더드 오일의 특수첨가제 없이는 작전이 불가능했다. 스탠더드 오일이 2천만 달러치의 연료를 IG파펜에 판매했기에 전쟁이 가능했다. 이것은 하나의 미국기업이 세계대전에서 어떤 식으로 양측 진영을 지원했는지 보여주는 하나의 사건에 불과하다.

또 다른 사건으로는 뉴욕은행 법인연합의 예이다. 이 단체는 '히틀러'가 권력에 오르는데 많은 지원과 전쟁 물자를 원조했을 뿐 아니라 '나치'의 자금세탁은행이었다. 뉴욕은행법인연합은 결국 '적대국교역금지법' 위반으로 문을 닫았다. 이 조직의 부사장이 누구였을까? 바로 조지 부시의 조부인 프레스캇 부시이다.

제1차 세계 대전으로 존 D. 록펠러(John D. Rockefeller, 1839~1937)가 얻은 이익은 당시 금액으로 200억 달러에 이른다. 이를 지금의 화폐가치로 환산하면 1조 9000억 달러나 된다. 이렇듯 이들은 전쟁을 통해서 그들의 부와 세력을 점점 더 확장시키고 있는 것이다.[50]

미국 해병대 사령관 스메들리 장군의 전쟁의 진실에 대한 폭로

1934년 의회 명예훈장 수상자 스메들리 버틀러 장군은 국회 상원의원 위원회에 출석하여 자본가 집단에 의한 미국 정복 계획을 대중에게 폭로한다.

군사적 깡패집단은 협박용 서류가방을 갖고 전 세계를 다닙니다. 그들에게는 적을 골라내는 '밀고자'가 있고 적을 파괴하는 '폭력단원'이 있으며 전쟁 준비를 계획하는 '두뇌집단'이 있고, 초민족주의적 자본주의라는 '대부'가 있습니다. 군인인 내가 이런 비유를 하는 것이 이상해 보일 수도 있습니다. 하지만 진실은 내게 이야기할 것을 강요합니다. 저는 33년하고도 4개월을 해병대라는 가장 기민한 군대의 일원으로 복무했고 소위에서 소장까지 모든 임관직

▌스메들리 버틀러

을 거쳤습니다. 그 기간 동안 저는 대부분의 시간을 대기업과 월 스트리트, 은행가들을 위해 일하는 '고급 폭력단원'으로 보냈습니다. 간단히 말해서 저는 자본주의를 위한 협박꾼이자, 폭력배였습니다. 때로는 제가 협박 사업의 일원인지 의심하기도 했습니다. 하지만 지금은 정말로 확신하고 있습니다. 저는 1903년에 미국 청과회사들을 위해 온두라스를 '바로잡는' 일에 가담했습니다. 또 1914년에는 미국의 석유 이익을 지키기 위해 멕시코, 특히 탐피코를 안전하게 만들었습니다. 내셔널시티은행(National City Bank) 친구들이 수익을 거둬들일 수 있게 아이티와 쿠바를 점잖은 나라로 만들기도 했습니다. 월 스트리트를 위해 중남미의 대여섯 나라를 약탈하는 데도 가담했습니다. 이런 깡패 짓거리의 목록은 참으로 길기만 합니다. 1909년에서 1912년 사이에는 국제금융 가문인 브라운 브라더즈(Brown Brothers)를 위해 니카라과를 깨끗하게 청소했습니다. 1916년에는 설탕과 관련된 미국의 이익을 위해 도미니카공화국에 광명을 가져다주었습니다. 중국에서는 스탠더드 오일(Standard Oil)이 걸리적거리는 일 없이 일을 할 수 있도록 주선하기도 했습니다. 그 시절에 저는, 마치 밀실에 있는 친구들이 말하듯이, 아주 잘 나가는 깡패였습

니다. 지금 와서 돌아보건대, 그때 알 카포네에게 귀띔을 해줄 수도 있었다고 생각됩니다. 알 카포네야 잘 해봤자 세 구역에서 활개를 쳤지요. 저는 제 대륙에서 활약했습니다. 군대를 이끌고 남의 나라에 쳐들어간다는 것은 결국 '미국 국적을 가진 국제 금융가나 자본가들의 돈벌이를 지켜주기 위해 피를 흘리러간다.'는 의미입니다. 정치가들은 자본가들의 꼭두각시 노릇이나 하면서 전쟁을 꾸미고 있습니다.[51]

_미국 해병대 사령관 스메들리 버틀러 장군

1차 세계대전이 끝나고 은행가와 기업가들은 세계정부 수립을 위한 국제연맹을 창립했으나 미국 의회의 반대로 무산되었다. 이에 따라 국제금융가들은 미국을 좀 더 확실히 장악해야겠다고 생각했다. 1차 세계대전이 끝나고 미국은 고속 성장을 지속했고 전쟁 중에 진 빚도 거의 다 갚게 되자 은행가들은 다시 불안해졌다.

연방준비은행은 이미 통화량 팽창과 축소를 통해 1920년 경제공황을 만든 경험이 있었다. 1920년대에 은행가들은 은행들의 대출을 자유롭게 해 엄청난 통화를 시장에 풀어주었다. 그러자 미국 경제는 호황을 맞게 되었고, 주가는 치솟게 되어 사람들로 하여금 호화스런 생활을 하게 함으로써 그들은 사람들이 흥청망청 돈을 쓰는 행복한 시대를 만들게 된 것이다.

이 시기에 주식 투자를 할 때는 10%의 돈만 있으면 나머지 90%의 돈을 빌려 줘서, 누구나 주식투자로 큰 돈을 벌 수 있었다. 그런데 브로커에게 돈을 빌릴 때 회수 요청을 받으면 24시간 이내에 갚아야 한다는 '마진 콜'(Margin-call)이라는 제도가 있었는데 사람들은 이를 대수롭지 않게 생각해왔다.

1929년 '록펠러', '버나드 버럭'과 같은 은행가들은 조용히 주식시장을 빠져 나왔고 그로부터 몇 달 후 1929년 10월 24일 소수의 은행가들이 일제히 회수 명령을 내리자 브로커들은 채무자들에게 24시간 이내에 돈을 갚으라고 독촉했다. 그러자 사람들은 증권사로 몰려가 일제히 매도 주문을 넣었고 주식은 폭락하게 되었다. 물론 모건이나 록펠러 같은 은행가들은 미리 주식을 처분하고 금이나 현금으로 바꿔 두어 아무 피해가 없었다. 게다가 여신을 축소해 통화량까지 줄여 많은 기업과 개인이 파산하였고 경제는 헤어 나올 수 없는 깊은 수렁에 빠졌다. 이로 인해 16,000개가 넘는 지역 토종 은행들이 도산하게 되었고, 음모론의 중심에 있는 금융가들은 경쟁 은행들을 헐값에 인수하게 되었다.

치밀하게 인위적으로 계획된 음모다. 국민 모두를 지배하려고 절망적인 상황을 인위적으로 조장했다.

_루이스 맥파든 상원의원

1920년대에 의회의 은행, 통화위원회 의장이었던 루이스 맥파든(Louis Thomas McFadden, 1876~1936)은 1932년 6월 10일 미국의회에서 25분간 세계 경제대공항이 연방준비은행의 의도로 일어났으며 러시아 혁명의 성공은 월스트리트의 은행가가 연방준비은행과 유럽중앙은행을 통해 자금을 제공한 결과라고 설명했다.

연방준비은행이 합중국의 정부기관이라고 생각하는 사람들이 있다. 그러나 이들은 정부기관이 아니다. 자신들의 이익과 외국 고객의 이익을 위해 합중

국의 국민을 착취하는 '사적 신용 독점 업체'이다. 연방준비은행은 유럽중앙
은행의 대리인이다.

_루이스 맥파든 상원의원, 1932년 6월 하원의원 연설

루이스 맥파든 상원의원은 세계 대공황을 일으킨 연방준비은행장에 대
한 탄핵결의안을 제출하기 직전인 1936년 10월 1일, 감기약을 먹은 후 심
장 마비로 이틀 뒤인 10월 3일 생을 마쳤다.[52]

이렇듯 상황이 명확한데도 역사는 승자에 의해 기록되기에 그들의 행위
는 역사책에서 지워졌고 오늘날까지도 경제학자들은 대공황이 경기과열과
과도한 설비투자 때문이라고 주장한다. 은행가들이 장악한 언론은 한 술 더
떠서 대공황은 시장경제의 실패로 인한 것이며 오히려 연방준비은행의 권한
을 강화해야 한다고 주장하고 있다.[53] 미국 대공황은 분명히 연방준비은행
이 통화량을 삼분의 일이나 줄여서 발생한 일이었으며, 은행가들은 이로 인
해 오히려 헐값에 주식과 부동산을 인수함으로써 더 큰 이득을 보았다. 이
들 엘리트들은 미국 내의 시장 지배력을 확장할 수 있었다. 이제 그 엘리트
들은 막대한 자본을 통해 강력한 군산복합체와 국제시장의 경쟁력 있는 기
업을 지배하게 되어 에너지 통제, 식량 통제, 언론 통제를 통해 더 강력한
지배력을 행사하는 신세계질서를 준비하고 있는 것이다.

베트남 전쟁을 통해 미국 측 5만 8000명, 베트남 측 100만 명의 사망
자가 나왔다. 베트남전의 본격적인 계기는 1964년에 발생한 통킹만 사건이
었다. 이 사건은 북베트남 어뢰정이 미국 함선을 공격한 것으로 알려진 사
건으로 미국이 국민적 여론을 형성하여 전쟁에 참여하는 계기가 되었다.
1971년 뉴욕 타임스의 기자가 국방부의 기밀문서를 입수해 폭로된 기사에
는 미국이 전쟁 개입을 위하여 존슨정부가 의도적으로 꾸민 것이라는 주장

이 제기되었다.

그리고 당시 국방부 장관이었던 로버트 맥나마라(Robert McNamara)는 그 기사가 사실임을 1995년에야 공식적으로 인정했다.[54] 당시 미국 국방부 장관으로 세계금융의 의도대로 충실하게 역할을 감당한 맥나라마는 그 다음 자리로 세계은행총재로 승진하게 된다. 북베트남의 군수 물자 중 80퍼센트는 구소련이 제공했다. 그런데 소련의 군수 공장을 설립하고 베트남에 보내기 위한 군수 물자를 구입하

▌로버트 맥나마라

기 위해 쓴 자금은 놀랍게도 록펠러가 지배하는 체이스맨하탄은행이 융자해준 것이다.[55]

미국의 정치권력구조는 대통령이란 존재가 대대로 자칭 유대인 세력인 국제금융재벌들이 운영하는 군수산업의 이익을 대변할 수밖에 없는 위치에 있다. 그리고 대중적인 혁명으로 총리나 대통령이 축출되었다고 하더라도 배후의 금융지배력은 여전히 권력을 장악한 상태로 머물러 있다. 왜냐하면 그들이 세계의 정계와 경제를 주름잡는 외교협의회(CFR), 삼각위원회(TC), 빌더버그 회의(BB)의 조종 하에 지금까지 데이비드 록펠러가 의장직을 수행하고 있기 때문이다.

전 세계를 소수 엘리트 집단이 통치하는 신세계질서(세계통합정부)를 준비하는 이들은 목적을 위하여 모든 수단과 방법을 동원하고 있다. 1991년 데이비드 록펠러는 프랑스 에비앙에서 빌더버그 그룹의 회합이 있기 바로 전에 다가올 세계정부체제를 '신세계질서'(New World Order)라고 명명했다. 따라서 그들이 소유한 메이저 언론들은 독재적인 세계정부가 수립되고 있다거나 국민의 주권이 박탈당하고 있다고 비판하는 사람을 가차 없이 비난하

고 공격했다.

마침내 오늘날 이토록 치밀하게 운영되는 '신세계질서'의 실체를 폭로하는 자들은 대중들에 의해 광적인 종교인이나 또는 비주류의 지겨운 음모론자로 여겨지게 되었다. 이는 얼마나 엘리트 집단이 대중 여론의 조작에 성공적인지를 비춰주는 것이기도 하다.

이러한 상황 속에서 1930년 미국의 경제 대공황을 통해 헐값에 미국의 기업들과 은행들을 소유하게 된 엘리트 집단들은 각 분야별로 체계적인 신세계질서 구축을 위한 거대한 마스터플랜을 추진하게 된다.

> 싫든 좋든, 합의건 전쟁이건 우리는 세계정부를 맞이하게 될 것이다.
>
> _제임스 위버그, CFR, 1950. 2. 17.

그 후 은행가들은 엄청난 금과 자금을 바탕으로 국제결제은행(BIS, Bank for International Settlement)과 국제통화기금(IMF, International Monetary Fund)과 세계은행(World Bank)을 창설했다. 현재 거의 모든 세계 국가들이 회원으로 가입되어 있으며, IMF는 세계 공용 화폐인 SDR(Special Drawing Rights, 특별인출권)을 발행할 수 있다.[56]

> 이 심각한 경제 위기를 결코 낭비해서는 안 될 것이다. 과거에는 불가능해 보였던 문제들을 이제는 한번 진지하게 고려해 볼 만한 기회가 온 것으로 보인다.
>
> _오바마 대통령 비서실장 램 이매뉴얼(Rahm Israel Emanuel)

지난주 이란은 제2의 장소에서 우라늄 농축을 시작했다고 발표했다. 며칠 뒤 저명한 핵과학자가 테헤란에서 폭탄테러로 숨졌다. 중남미에 있던 마무드 아마디네자드 이란 대통령은 그 명백한 공격이 "제국주의와 세계 시온주의 대리인들의 소행"이라고 비난했다. 미국 당국은 그 폭탄테러와 관계가 없다고 밝혔으며 이스라엘은 아무런 논평도 하지 않았다.

_『뉴스위크』, 2012. 2. 1.

세계 기축화폐를 통한 부의 통제

1933년 미국연방준비은행(FRB)은 금본위제를 폐지하고 아무런 가치가 없는 신용을 담보로 무한정 돈을 찍어내기 시작한다. 우리는 현재의 달러를 금본위제하의 달러와도 같이 교환의 매개물이자 가치 저장의 수단으로 인식하지만, 그 차이는 하늘과 땅이다. 금본위제하의 달러는 미 헌법 1조 10항에 기술된 바와 같이 지상의 귀금속으로 만들어진 '생산물'(production)인 반면, 현 달러는 국제유태자본의 엘리트들이 전 세계인의 활동과 생산품을 규제하고 소유할 목적으로 만들어진 '비생산물'(non-production) 인 것이다.[57]

오늘날 유통되는 달러는 사람들이 노동을 통해 축적한 부를 거둬들일 목적으로 만들어진 것이라는 말이다. 그들은 종잇조각에 불과한 달러로 전 세계 노동자들이 힘써 일해서 만든 생산품과 그 대가로 벌어들인 부를 강탈하고 있는 것이다. 미국 정치가이자 국무장관을 역임한 대니얼 웹스터(Daniel Webster, 1782~1852)는 이런 상황을 예견하고 일찍이 다음과 같이 경고한 바 있다.

인류의 노동자 계급을 기만하는 모든 발명품 가운데 그 어떤 것도 종이 화폐만큼 효과적으로 그들을 기만하지는 못할 것이다.

_미 국무장관 대니얼 웹스터

그리고 기회가 될 때마다 전 세계 노동자들의 장롱 속에 보관된 금은 국제유태자본의 주머니로 다시금 회수 되었다. 1917년 러시아의 왕조가 무너지자 레닌은 전국에 개인이 소유한 모든 금을 회수하는 명령을 내렸다. 러시아에서는 당시 개인이 금을 소유하다 적발되면 사형에 처하는 법을 집행하였다. 1933년 미국 경제대공황 시기, 루스벨트 대통령은 대대적인 금모으기 운동을 하였다. 루스벨트 정권은 개인이 금을 소유하다 적발되면 10년 이하의 징역에 처하는 협박을 하며 전국의 금을 수거하였다. 정도는 다르지만 1997년 한국은 IMF관리 체제하에서 애국심을 부추겨 아이들의 돌반지까지 수거해가는 일을 하였다.

달러를 기축통화로 활용해 전 세계의 부를 강탈하는 금융 엘리트들의 구상은 1944년 뉴햄프셔 주의 브레튼 우즈(Bretton Woods)에서 시작되었다. 44개국이 참여한 브레튼 우즈에서는 '케인스 경제학'으로 유명한 영국의 존 메이너드 케인스(John Maynard Keynes)와 미 재무부 차관보 출신 해리 D. 화이트(Harry Dexter White)의 논쟁이 세인의 주목을 끌었다. 당시 화이트는 케인스안의 대안으로 국제부흥개발은행(IBRD)과 국제통화기금(IMF)의 창설을 주장했는데, 이는 국제유태자본의 입장을 대변한 것이었다. 그는 많은 반대를 무릅쓰고 결국 달러를 기축통화로 하는 금본위제를 확립해 IMF와 IBRD 중심의 세계 금융 질서를 구축하는데 성공한다. 이어서 1971년 달러에 대한 금본위제가 폐지되면서 마침내 전 세계를 대상으로 무한정 종잇조각을 찍어내기 시작한다.

그 결과 IMF와 IBRD의 구제금융을 받은 국가들은 한국이 IMF체제를 경험한 바와 같이 자국민의 혈세 대부분을 고율의 이자로 국제유태자본의 주머니 속으로 반환해야 했고, 전 세계의 무고한 시민들은 자국에서 현대판 노예제도 속에 살아가게 되는 것이다. 이러한 거시적인 흐름에 동조하는 소수의 몇몇 집단에게 부는 집중되고, 전 세계의 부의 양극화는 심화되도록 설계된 것이다.

2008년 9월 15일 리먼 브라더스의 파산보호 신청을 계기로 촉발된 세계금융 위기는 다시 한번 세계경제를 개편하려는 국제유태자본의 의도가 있다. 모건스텐리, 세계 최대 보험사 AIG, GM, 심지어 록펠러 그룹의 씨티그룹마저 파산 위기에 직면해 있다. 그리고 이러한 위기로 인해 이득을 보는 주체가 누구인가에 대한 음모론에 회의적인 반응을 보이는 상황에서 유일하게 상상을 초월하며 이득을 취하는 실체가 있다. 바로 국제유태자본의 메이저 투자은행, 상업은행, FRB를 비롯한 유럽의 중앙은행이 그 주인공이다. 이들은 '국유화'라는 명목으로 전 세계의 부를 일시적으로 거두어들이고 있는 것이다. 그렇다면 FRB를 비롯한 유럽 주요국 중앙은행의 실질적 소유주가 누구냐 하는 질문이 남는다. 그 해답은 바로 성경에서 말하는 자칭 유대인이나 실상은 사단의 회당인 국제유태자본의 금융엘리트 가문들이다.

FRB의 주요 대주주는 다음과 같다. 로스차일드의 대리인 야콥 쉬프의 쿤롭은행, 록펠러 가문의 체이스맨해튼은행(Chase Manhattan Bank), 로스차일드 가문의 투자은행으로 알려진 골드만삭스은행(Goldman Sachs Bank), 파리의 라자르브라더스은행(Lazare Brothers Bank), 이탈리아의 이스라엘 모세시프은행(Israel Moses Sieff Bank), 마지막으로 FRB 창립위원장을 역임한 폴 워버그 가문의 함부르크와 암스테르담의 바르부르크은행이다.

　이들 은행은 300명 정도의 대주주를 통해 FRB를 장악하고 있으며, 이들 모두 혼인 등을 통해 상호 긴밀한 유대 관계로 맺어져 있다. 바로 여기에 현재 벌어지고 있는 세계 금융 위기의 본질이 있는 것이다.[58]

세계중앙은행 창설을 위한 미국, 유럽 금융위기

로스차일드의 세계화폐발행권을 장악하기 위한 오랜 꿈은 1814년 9월 ~1815년 6월까지 개최된 비엔나회의를 통해 스위스의 영세중립체제가 성립됨으로써 더욱 강화되었다. 스위스은행의 비밀 금고는 현재까지 존재하고 있으며,[59] 동인도회사를 통해 시작된 전 세계 마약공급으로 형성된 지하 자금을 세탁하고 각국의 자금을 보관하는 로스차일드의 사적인 금융 보관 장소로 활용되고 있다. 그들은 유럽 통합을 목표로 '지역별 통합 후 전체 통합전략' 아래 1957년 로마조약 이후 1993년 마스트리히트 조약을 거쳐 2009년 리스본조약에 이르기까지 활발하게 그들의 영역을 확장시킴으로써 유럽단일시장의 단일화폐를 탄생시켰다.[60] 유로화를 관장하는 유럽중앙은행(ECB)은 로스차일드의 본가 프랑크푸르트에

ⓒ연합뉴스

▌동인도 회사

설립되었고, 이제 로스차일드가의 전 세계 화폐발행권을 장악하려는 오랜 역사의 완성 단계에 왔다. '통제하며 해체하기'를 통해 전체를 장악하는 전략은 달러화를 장악한 후 스스로 위기를 조장하던 국제유태자본에 의해 세계중앙은행창설과 세계정부를 목표로 하는 G20회의를 거치면서 이제 세계 통합을 눈앞에 두고 있다.

이러한 흐름에 제동을 걸고 있는 중국과 러시아는 결국 세계 3차 대전의 형태로 저항하겠지만, 결국 국제유태자본의 승리로 세계는 단일정부체제인 '신세계질서'를 바라보게 될 것이다.

> 유럽은 통합과정의 중간 단계에서 발목이 잡혔다. 통화 동맹은 더 완벽한 재정·정치 동맹으로 가는 디딤돌이었다. 나는 유로존을 모험할 만한 가치가 있는 시스템이라고 생각했다. 더 완벽한 통합을 목표로 한 장기적인 전략의 일환으로서 말이다.
>
> _대니 로드릭, 하버드대 국제정치경제학 교수

유럽연합 국가들이 합의한 '안정 및 성장 조약'(SGP : Stability and Growth Pact)에 따르면, 유럽연합 각국의 재정적자는 GDP의 3%를 넘지 않도록 규정하고 있다. 그동안 유럽연합 국가들은 이러한 규정을 근거로 사회복지와 공공부문에 대한 투자를 축소해왔는데, 그리스의 재정적자가 GDP의 12%가 넘게 되면서 그리스는 유럽연합의 기준에 따라 대규모 지출 축소를 강행하는 상황에 이른 것이다.

각종 보도를 통하여 그리스는 지난 십여 년 동안 유럽연합이 규정한 채무 한계선을 피하기 위해 다양한 수단을 써왔는데, 이러한 작업에 공모한 곳이 바로 골드만삭스였다. 골드만삭스는 그동안 그리스 정부를 도와 수십

억 달러 어치의 공공부채를 유럽연합 예산 감시자들의 눈을 피해 은닉할 수 있도록 도와준 것이다. 이것이 가능할 수 있었던 것은 이러한 대규모 부채를 일종의 통화거래처럼 보이도록 하였기 때문인데, 유럽연합의 통계국(Eurostat)조차 이러한 거래의 성격을 알아차리지 못할 정도였다. 이미 골드만삭스 전무이사인 제럴드 코리건(Gerald Corrigan)도 그 과정에 공모했음을 시인한 바 있다.

> 미국의 서브프라임 위기와 AIG의 파산 때처럼, 금융 파생상품은 그리스의 부채 증가에 한 몫을 했다. 골드만삭스와 JP모건 체이스, 이 밖의 다른 은행들이 개발한 금융기법들 덕분에 그리스, 이태리, 그 밖의 다른 나라의 정치인들이 추가적인 채무를 은폐시킬 수 있었던 것이다.
>
> _『뉴욕 타임스』, 2010.2.13

문제는 이러한 금융위기를 통해 위기를 조장한 국제유태자본가들이 국제사회에서 그들의 권력을 강화시키는 방향으로 나아가고 있다는 점이다. 이러한 위기는 고스란히 국제사회의 중산층의 붕괴와 단일화폐의 필요성을 요구하는 여론으로 모아지고 있다.

> 2008년 미국 금융위기 당시 긴급하게 결정된 계획으로 알려진 부실자산구제프로그램(TARP)이 실은 5년 전부터 미 재무부에 의해 준비되었다는 사실과 2008년 여름 모스크바에서 골드만삭스 사장인 행크 폴슨 미 재무부 장관과 사전 모의하고 치밀하게 계산된 정치적 설계도에 따라 진행된 것이다.
>
> _르몽드 디플로마티크 이브라임 와르드 기자

그리스가 골드만삭스의 도움으로 부채를 은폐하
는 작업을 할 당시, 골드만삭스의 유럽 부회장은 마
리오 드라기(Mario Draghi)라는 사람이었다. 그는 이탈
리아가 유로에 가입하는 것을 준비하는 동안 이탈리
아의 재무부 사무총장을 지냈다. 그리고 지금 그는
이탈리아 중앙은행의 총재로 역임하고 있으며, 영-미
금융가와 이탈리아 실비오베를루스코니 총리의 강력
한 지원하에 차기 유럽중앙은행 총재를 맡을 유력한
후보로 떠오르고 있다.

▎마리오 드라기

그렇다면 이들의 투기 행위를 경제적 이득을 목적으로 하는 순수한 경
제활동으로만 간주할 수 있을까? 1997년 아시아 경제위기(한국의 IMF)와 그
리스 위기에 참여하는 헤지펀드와 국제은행가들의 면면과 행적을 살펴보면,
그들의 활동이 단순히 '사후적 결과'를 예상하고 그에 대한 차익을 거두려
는 목적에만 한정된 것인지 의문이 드는 것이 사실이다. 이러한 상황이 그리
스 국민들에게 미칠 영향은 파괴적인데, 우리는 1997년 IMF 관리를 통해
이러한 경험을 뼈저리게 겪은 바 있다.

사실상 은행가들이 만들어낸 금융위기는 해당 정부의 관료들로 하여금
자기를 선출해준 국민을 배반하게 하고 자국의 경제를 헐값에 국제자본으
로 넘겨 중산층이 무너지는 결과를 낳게 된다. 결국 이러한 위기로 인하여
국제사회에서 한 목소리로 대처해야 한다는 논리가 힘을 얻게 되고, G20
회의에서 이러한 국제 투기자본을 효과적으로 대처할 수 있는 방안이 국제
단일화폐 뿐이라는 결론의 멋진 시나리오가 진행되고 있다. 점차 UN-IMF,
세계은행, 또 다른 단일화폐를 발행할 국제기구가 만들어지게 될 것이다. 이

것은 인류역사상 단 한 번도 이룩하지 못한 일이다. 그러나 이제 자발적인 합의에 의해서 각국의 주권이 경제적인 이유로 단번에 빼앗겨 버리는 놀라운 상황이 벌어질 것이다.

우리가 이러한 화폐에 집중해야 하는 이유는 이 단일 사회의 단일화폐가 없이는 누구도 매매와 거래활동이 어려워질 것이며 이 화폐는 종이 없는 사회라는 이름하에 전자 화폐로 이어질 것이기 때문이다. 또한 이것은 유비쿼터스 사회에 걸 맞는 편리함을 가진 생체칩(Global Governance ID)으로 연계될 것이며 세계정부체제하에서 세계 모든 시민에게 새롭게 부여되는 신분증 기능으로 활용될 것이다. 더 나아가 테러 방지를 위한 사회 안전 칩의 기능까지 홍보될 것이다. 이러한 사회 시스템 속에서 결국 이에 저항하는 진정한 기독교인들은 시대착오적인 광신자 집단으로 매도되어 탄압받는 시대로 접어들고 있는 것이다.

1930년 경제 위기를 시작으로 2008년 경제 위기까지 다양한 경제위기의 출현은 소수 집단에게 지금보다 더 많은 권력을 집중하도록 했다. 그리고 그러한 권력 집중을 방지하지 못한다면, 그 방향은 '금융독재'와 유사한 방향으로 흐르게 되리라는 것도 어렵지 않게 예상해 볼 수 있다. 현재의 위기는 단순히 미국 주택시장에서 발생한 거품이 아니라 더 폭넓고 더 멀리 영향을 미칠 문제의 한 징후이기도 하다. 국가 채무 위기가 전 세계로 확산되어 전체 경제가 무너지면서 전 세계 국가들은 엄청난 빚더미 속에서 허우적거리고 있다. 그러나 은행들은 각국 통화들이 붕괴되는 과정에서도 자신의 권력을 강화하고 성장한다. 그 결과로 국제적 차원의 정부 구조가 적절히 구축되고 실행된다. 이 가운데 주목해야 하는 것은 '세계중앙은행' 창설과 '세계단일통화'가 형성되는 것이다.

전 세계 사람들은 경제 회복이라는 환상 속에 살면서 거짓된 안정과 자기 만족으로 이끌리고 있다. 국제유태계 은행들은 정부의 주권(통화발행권)을 자신들이 만들어 놓은 단일 사회에 헌납하도록 요구하며 대중을 속이고 국가가 지닌 국민의 부를 약탈하고 있다. 이는 그리스의 국민들이 처한 상황을 통해 예상해 볼 수 있다.

2010년 2월 13일 로이터 통신의 보도에 따르면, 그리스 정부는 2011년 1월 1일부터 자연인과 기업들, 기업들과 기업들 사이에 1500유로 이상의 모든 현금 거래는 불법으로 간주한다고 발표했다. 대신 모든 거래는 신용카드나 직불카드를 통한 전자거래로만 이루어져야 한다고 발표했다. 그리스 정부는 이러한 조치가 세금탈루방지를 목적으로 한다고 발표하였다. 그러나 이것이 선례가 되어 비슷한 위기상황에 빠진 다른 국가들도 이와 같이 일정 금액 이상의 현금거래를 불법으로 간주할 경우에는 그것은 장기적으로 엄청난 결과를 낳을 수 있다. 이 조치가 소위, '빅 브라더'가 통제하는 데이터베이스상의 숫자로만 돈 거래가 이루어지는 '현금 없는 사회'로의 촉매 효과를 낳을 수 있기 때문이다. 모든 개개인의 돈거래가 낱낱이 다 체크되는 이러한 투명한 사회가 마냥 낭만적인 민주사회라고만 생각할 수는 없다.

> 역사가들은 우리의 시대를 뒤돌아보며 이 시기는 그저 평범한 시기가 아니라 과거에 없었던 역사의 변화를 가져오는 시기요, 한 장면이 지나가고 다른 장면의 역사가 시작되는 시점이라고 평가할 것입니다.
>
> _영국의 고든 브라운 총리

세계단일화를 위한 다보스포럼

1901년 프랑크푸르트 본가가 사라진 이후 두 차례의 세계대전과 냉전을 거치며 로스차일드 가문은 런던 분가와 파리 분가의 양극 체제를 수렴하였고, 로스차일드 가문의 발상지인 독일의 프랑크푸르트 본가에 1998년 유럽중앙은행을 설립하였다. 그 후 그들은 다시 전 세계 중앙은행 창설을 위해 유럽내부의 재정위기를 조장하며, 로스차일드 가문의 유럽 내 영향력은 더욱 커지고 있다.

다보스포럼으로 더 잘 알려진 세계경제포럼(World Economic Forum)에서 2009년 1월 28일부터 2월 1일 동안 열린 주제는 '탈위기 후 세계질서 재편'(Shaping the Post-Crisis World)이다. 다보스포럼은 300인 위원회, 삼각위원회(TC), 외교협의회(CFR), 빌더버그 회의(BB) 등에서 확정된 안건을 좀 더 공개적으로 확산시키는 중요한 요소이기에 세계 많은 학자와 기업인들, 정치인

| 세계경제포럼(다보스포럼)

들이 관심을 갖는다. 이 모임에서 경제 회복의 첫 걸음은 글로벌 공조와 협력이었다.[61]

글로벌 위기가 자유방임주의의 결점을 노출시켰다. 다만, 자유방임주의가 결점은 있지만 공산주의의 부활은 모두가 원치 않는 만큼 이번 위기가 새로운 협력과 더 나은 시스템을 건설하는 흔치 않는 기회로 작용되기를 기대한다.

_로열더치쉘의 제로엔 판 델 베르 최고경영자

2008년 4월, 벤 버냉키(Ben Bernanke) 연방준비제도이사회 의장 등 많은 사람들이 "터널 끝에 빛이 보인다.", "경기 침체의 끝은 멀지 않았다."라고 했다. 그러나 사실상 당시는 위기의 시작에 불과했다.

2008년 경제 위기 이후 미국의 집값은 그야말로 폭락했고 주택담보대출(모기지) 원리금을 제때에 갚지 못해 집들이 줄줄이 경매처분 되는 서브프라임 금융위기가 발생했다.

_2001년 노벨경제학상 조셉 스티글리츠 미국 컬럼비아대학 교수

국제적인 유동성 확대를 위해 국제통화기금이 특별인출권(SDR)을 활용해 더 많은 돈을 글로벌 경제에 투입해야 한다.

_조지 소로스, 소로스펀드 회장

조지 소로스는 "최근 글로벌 경제 상황이 무서울 정도로 1930년대 위기 때와 흡사하다."며 "그 때와 마찬가지로 경제 회복세가 취약한 상황에서 정

부가 재정 적자 감축 압력을 받고 있다."고 지적했다. 또한 "그리스를 비롯한 유럽 전 지역의 문제로 금융 시장에서는 국채 신뢰성에 금이 가기 시작했으며, 전 세계가 이에 따른 영향을 받고 있다."고 밝혔다.

수학과 통계학, 그리고 컴퓨터의 탁월한 연산 능력을 배경으로 복잡한 파생상품을 수없이 만들어낸 금융공학(financial engineering)은 월가가 탄생시킨 악마의 공식이다. 파생상품 중 신용부도스와프(CDS)의 경우 판매량만 57조 달러를 넘어서는 것으로 파악되고 있다. 이것은 2008년 미국 국내총생산(GDP, 14.2조 달러)의 4배에 육박하는 규모다. 즉, 글로벌 금융 위기의 출발점이 된 서브프라임 모기지(주택담보대출)자산 규모가 1조 달러에도 못 미친다는 점을 고려하면 CDS 판매 규모는 상상을 초월한다.

그런데 이러한 엄청난 규모의 상품은 전 세계 모든 은행과 연기금들이 갖고 있으며, 이 폭탄이 터지면 전 세계는 완전한 경제 공황으로 들어가게 된다는 것이다. 결국 모든 국가가 이러한 경제 위기를 해결하기 위해 자국의 화폐발행권을 포기하고 '세계연방중앙은행의 단일화폐시스템'을 받아들일 수 밖에 없는 매우 극적인 상황으로 몰리게 될 것이다.

> 새로운 통화시스템에 대한 논의는 이미 진행되고 있다. 유엔 산하 국제통화 및 금융시스템 개혁 위원회에는 아시아, 유럽, 미국, 아프리카, 라틴아메리카 등 전 세계의 경제학자와 전·현직 정부 관료, 금융산업 관계자 등이 참여하고 있다. 이 위원회는 새로운 글로벌 통화가 세계 경제의 장기적 체질 개선을 위해 중요한 개혁이 될 것으로 보고 있으며, 달러 기축통화 체제로부터 질서 있는 변화 방안을 모색하고 있다.
>
> _조지프 스티글리츠 컬럼비아대학 교수

코피 아난 UN 사무총장과 로스차일드

전면에 들어나지 않는 로스차일드 가문
은 전임 UN 사무총장 코피 아난(Kofi Anan)
과 연결된 사건을 확인해 보면 그들의 연
결고리가 들어난다. UN 전 사무총장 코
피 아난(Kofi Anan)은 로스차일드 가문의 나
네 라저그렌(Nane Lagergren)과 1984년에 결
혼했다. 가나의 외교관에 불과했던 그는
1996~2006년 까지 UN사무총장으로 역할
을 수행했다. 코피 아난과 그의 아들이 연루

┃ 가나출신 코피 아난과 로스차일드의 나네 아난

된 UN의 이라크 석유-식료품의 부패사건에 대한 조사는 선임조사관 미란
다(Miranda Duncan, 1971~)가 조사하는 중, 아무런 이유 없이 2005년 4월 그
녀는 선임조사관 직권으로 조사를 공식적으로 중단하게 되었다. 그녀는 바
로 록펠러의 손녀이다.[62] 이렇듯 국제사회는 치밀하게 국제금융가들의 혈족
으로 유지, 운영되고 있다.

세계를 움직이는 국제유태자본의 핵심기관

국제정치사회를 잘 아는 사람들은 실제로 미국의 외교정책을 수립하는 곳
은 외교협의회(CFR)라고 말한다. 빌더버그 회의 같은 조직들은 외교협의회
(CFR)와 횡으로 연결된 조직이다. 아이젠하워, 닉슨, 카터, 조지 허버트 워
커 부시(Skull&Bones회원), 빌 클린턴, 조지 워커 부시(Skull&Bones회원)는 모두

외교협의회(CFR) 출신이다.

공화당의 부시나 민주당의 케리는 똑같은 프리메이슨으로 예일대학교의 해골종단 출신이다. 다시 말하면 민주당이나 공화당이나 결국 백악관 인사들은 외교협의회, 삼각위원회 인사들로 채워진다. 이와 함께 미 재무장관 18명 중 12명, 국무장관 16명 중 12명, 국방장관 15명 중 9명, CIA부장 11명 중 7명, 웨스트포인트 사관학교 교장 7명 중 6명, 유럽연합총사령관 전원, NATO 주재 미 대사 전원이 CFR회원이다.[63] 이 두 단체의 의장은 데이비드 록펠러이다. 그들은 국가 관념이 없고 이들이 지향하는 바는 세계단일정부 수립과 세계독점경제시장이다. 이 두 단체의 상위 그룹은 로스차일드가 지배하는 빌더버그 회의이다. 이들은 1년에 한번씩 '신세계질서'(New World Order)를 위해 메이저 언론에 보도되지 않는 모임을 갖는다.

빌더버그 운영위원회에는 요제프 아커만 도이체방크 회장, 위르겐 슈렘프 다임러크라이슬러 회장, 리처드 펄(유대계) 전 미 국방부 자문역, 피터 서덜랜드 골드만삭스 회장, 제임스 울퍼슨 세계은행총재 등이 포함되어 있다. 이와 함께 뉴욕 타임스, 워싱턴포스트, ABC등 언론계 인사들도 다수 참여하며 늘 미국연방준비은행(FRB) 의장도 참석한다.

데이비드 록펠러(체이스 맨해튼 은행 총재)는 세계단일화를 위해 미국과 아시

| 국제유태자본의 핵심기관들 |

기 구	지 역	대 상	주요가문
300인 위원회	유럽 대륙	유럽귀족 / 황실	로스차일드
빌더버그 회의	유럽 / 미국	유럽 / 미국	로스차일드 / 록펠러
삼각위원회	유럽 / 미국 / 아시아	신흥산업자본	록펠러 / 신흥산업자본
RIIA 왕립국제문제연구소	유럽 대륙	두뇌집단 / 인재풀	세계단일정부촉진
CFR 외교협의회	미국 / 아시아	두뇌집단 / 인재풀	세계단일정부촉진

아의 금융 산업자본과 정치에 대한 통제를 목적으로 1972년 7월 1일, 록펠러의 고문인 즈비그뉴 브레진스키(Zbigniew Brzezinski)의 주도로 삼각위원회가 만들어졌다. 삼각위원회의 등장으로 국제사회는 신세계질서로의 준비를 가속화하고 있고, 국내외 주요 회원을 통해 그 위력을 더욱 실감하게 된다.

빌더버그와 삼각위원회의 목표는 세계단일통화와 세계정부(Global Governance)이다. 삼각위원회에는 로스차일드계와 록펠러계 인물이 다수 참여하고 있다.[64] 그리고 삼각위원회는 정치인, 관료, 정치학자, 경제학자, 금융인, 대기업 CEO, 노조대표, 언론인 등이 참여하고 있다. 그리고 이들은 엑슨, 텍사스 인스트루먼트, 록펠러 재단, GM 등 다국적기업으로부터 재정 후원을 받는다.[65] CFR(외교협의회)회원과 중복된 인사들도 다수 있다. 또한 미국 부시 대통령 부자를 포함하여 역대 미국 대통령, 국무위원, 재무장관, 대통령 안보특보 등 미국 정부 고위 인사 대부분이 참여하고 현재 정회원은 350명이며 미국 107명, 유럽 150명이며 한국인도 아래의 명단과 같이 포함되어 있다.

이명박 대통령은 대통령 당선자 신분으로 서울 통의동 집무실에서 빌더버그(BB), 삼각위원회(TC), 외교협의회(CFR) 소속의 유력인사들을 접견 했다. 페리 전 미 국방장관(BB, TC회원), 울포위츠 전 국무부 비확산대책위원장(유대계, BB, CFR, TC회원), 버시바우 주한 미 대사(유대계, CFR회원), 아델만 전 UN 주재 미 대사(유대계, CFR회원), 스칼라피노 UC버클리대 명예교수(BB, TC회원), 솔라즈 전 하원 아·태소위원장(CFR회원), 갈브레이스 전 주 크로아티아 대사(CER회원) 등의 인사들을 만났다. 이 당선인 측에서는 이들 인사들과 친분을 맺어온 정몽준 의원(TC아시아 태평양 클럽 정회원)을 비롯하여, 박진 의원, 남성욱 고려대 교수, 김우상 연세대 교수, 김태효 성균관대 교수, 권종락 외교보좌역 등이 참석했다.[66] 이들 인사들은 미 정가에서 좌우(左右)를 넘나들며 초국적(transnational)자본과 이익을 추구해온 인사들로 학계에서는 '현실주의' 그룹으로 분류되고 있다.

2003년 4월 11일~16일 서울에서는 삼각위원회 회합이 있었다. 당시 기조 발제를 했던 인물은 바로 당시 노무현 현직 대통령이다. 물론 당시 회의는 비공개였으며 이 사실은 국내 언론에 보도되지 않았다. 노무현 전 대통령은 이 회합에 참여한 뒤 같은 해 5월 미국을 방문, 반기문·한승주·라종일 등과 함께 헨리 키신저(유대계·로스차일드 대리인)를 만났다. 삼각위원회는 현재 유럽클럽(European)과 북아메리카클럽(North American Group), 태평양아시아클럽(Pacific Asian Group) 등으로 구성되어 있다. 이 가운데 한국인 인사들도 다수 포함되어 있다.[67]

2011년 빌더버그 회의 안건

세계단일정부를 촉진하기 위한 2011년 논의내용은 다음과 같다. 물론 비공개회의로 이루어졌기 때문에 외부로 유출된 의제내용을 100% 신뢰할 수는 없겠지만 충분히 고려해 볼 만한 내용이기에 참고사항으로 소개하였다.

1. '아랍의 봄' 작전을 확대하여 중동의 정치질서 개편
2. 세계정부의 계획과 그림자 정부에 대한 인터넷을 통한 여론 확산에 대한 우려가 제기되어 국제사회의 음모론에 대하여 비판하는 것을 일종의 범죄적 행위로 규정하고 인터넷을 합법적으로 검열하고 규제조치를 강화하도록 논의

3. 현 금융시스템 붕괴 이후 전자화폐도입, 전 세계 다양한 분야를 통해
   전자 칩 확산
4. 영국, 미국, 이스라엘의 중심 세력과 중국, 러시아, 중동연합세력간의
   위기 고조

이와 같이 인위적인 '위기'와 '혼란'을 불러 표면적으로 미국과 유럽의 경제 시스템은 붕괴되겠지만 실상 국제유태자본들이 구원 투수로 등장하며 '세계단일정부'를 수립하려는 것이다.

2012년 그들은 세계단일화를 위해 중동에서 이란과 사우디아라비아를 경계선으로 위기를 형성하고 있고 아시아에서 한반도의 위기를 형성시키고 있다. 실질적인 권력의 충돌은 사실상 미국과 유럽중심의 권력집단과 러시아와 중국과의 충돌이며, 이는 신세계질서 수립을 위한 마지막 단계가 왔음을 의미한다.

오바마(Obama) 경제팀

미국에는 행정부, 의회, 사법부 등의 '평면 권력' 외에 '유대 권력'이 존재한다. 더 정확하게는 로스차일드를 중심으로 세계단일화를 촉진하는 보이지 않는 누상 정부이다. 이것은 현 오바마 정부의 경제 관료의 내력을 확인해 보면 뚜렷이 알 수 있는데 오바마 정권은 변화를 기대했던 국민들을 배신하고 세계정부를 위한 변화를 성실하게 준비하고 있다.

외교협의회(CFR)는 프랭클린 루즈벨트 대통령 이후 역대 모든 미국 행정

부를 장악해 왔다.[68] 오바마 대통령 취임식 직후 빌더버그 회의, 삼각위원회, 외교협의회의 멤버들은 부시 행정부 때 재임한 인사들의 얼굴만 교체했을 뿐 여전히 모든 요직을 장악했다. 문제는 클린턴, 부시, 오바마로 정권이 교체되었어도 '나쁜 정책'을 시행하며 정권을 장악하고 있는 집단은 항상 동일하다는 것이다.

오바마 정부는 로스차일드의, 로스차일드에 의한, 로스차일드를 위한 정부이다. 아이젠하워 대통령이 우려한 군산복합체에 의한 국가 장악이 현실화 된 것이다. 그래서 금융을 개혁하겠다고 한 오바마의 경제팀은 개혁의 대상이 되어야 할 월 스트리트의 국제유태자본의 충성된 인사들로 채워져 있다. 핵심 인물들은 로렌 서머스(미국 경제자문회의 의장. 1930년대에 은행가들의 방만한 경영을 규제하기 위해 제정된 '글래스-스티걸법'을 국제유대인의 이익을 위해 폐지하는데 일조한 자), 재무

| 오바마 정부 경제부문 월가 출신 인물들 |

로렌 서머스 전 재무장관

티모시 가이트너
뉴욕연방 준비은행 총재

로버트 루빈 전 재무장관

조셉 스티글리츠 컬럼비아대 교수

폴 볼커 전 FRB의장

콜린 파월 전 재무장관

존 케리 상원의원

힐러리 클린턴 상원의원

캐롤라인 케네디 변호사

장관 티모시 가이트너(전 뉴욕연방은행 총재), 그리고 그 뒤에는 루빈 같은 자들이다. 이들은 1990년대부터 2008년 금융위기의 원인인 파생상품을 만든 장본인들이다. 오바마의 경제팀에는 어디에도 노동계, 여성계, 은퇴자 계층, 중소 상공인 등 그가 말했던 사회 약자를 위한 인사는 없다. 아주 오래전 금융 재벌들에 의해 포위된 정부의 비극적인 운명을 개탄한 선조 대통령들의 우려

| 아이젠하워

는 현실이 되었다.

제2차 세계대전을 승리로 이끈 아이젠하워(Dwight D. Eisenhower, 1890~1969) 최고 사령관은 미국의 제 34대 대통령이 되었다. 그는 임기 중에는 현역 대통령으로써 침묵으로 일관해 왔으나 8년간의 임기를 마치고 케네디에게 바톤을 넘기기 직전인 1961년 1월 17일, 대통령 관저에서 전국에 생중계된 사임 연설을 통해 국제금융산업자본의 위험성을 국민들에게 알렸다. 그 내용은 다음과 같다.

> 군산복합체가 배후에 도사리고 있는 사회에는 그들의 의도와는 무관하게 항상 부패한 권력과 정부가 등장할 것이고, 그로 인해 파생되는 정치·경제적 희생은 고스란히 국민들에게 돌아갈 것이다. 우리 정부와 의회는 자신을 지켜야만 합니다. 커다란 불행을 가져올 그릇된 권력이 증대될 가능성이 있습니다. 이 복합체가 우리의 자유와 민주주의 체제를 위험에 빠트리는 것을 팔짱만 끼고 지켜봐서는 안 됩니다.[69]
>
> _아이젠하워 미국 34대 대통령

헨리포드가 월 스트리트에 기고한 유대인의 진실

유대민족은 다른 모든 국가들의 비밀을 간직하고 있는 지상의 유일한 국가이다. 이 세상에서 오늘의 미국정부처럼 국제유대인에게 종속되어 있는 나라도 없을 것이다. '영국이 이런 일을 했다', '독일이 저런 일을 했다', '공산주의가 이러한 짓을 했다'고 떠들지만 사실 그 모두는 유대인들이 한 일이었다. 이제 그들은 미국이 전 세계에서 가장 타락하고 탐욕스럽고 잔인한 인간들이라고 알고 있다.

그것은 유대인들의 금권(金權)이 미국에 집중되어 있기 때문이다. 유대인의 천재성은 그들이 땅 대신 사람을 벗겨 먹고 산다는 것이다. 그들은 다른 민족의 사람들처럼 땅을 일구거나 천연자원으로 상품을 생산하여 삶을 꾸려가는 대신 그런 일을 하는 다른 민족들의 피를 빨아서 살아간다는 것이다. 들판과 공장에서 땀을 흘리는 일은 다른 민족들에게 맡겨 둔 채 유대인은 이들이 거둔 결실를 착취한다. 이것이 바로 유대인의 기생적인 천재성이다.

국제유대권력에 반대하는 이유는 모든 전쟁의 배후에는 그들이 있기 때문이다. 전쟁에서 어느 나라가 승리하거나 패배하건 간에 돈의 권력은 항상 승리한다. 그 어떤 전쟁도 이들 없이는 시작되지 않고 그 어떤 전쟁도 이들의 허락 없이는 끝나지 않는다.

그들은 조국도 없으면서 모든 나라의 젊은이들을 전쟁터로 내몰고 있다. 평화를 외치는 사람들은 대부분 전쟁이 왜 일어나는지 모른다. 평화주의를 내건 단체들은 그저 표면 위에서 목청을 돋울 뿐이다. 국제자본이 모든 국가 위에 군림하는 사이버 정부로 존재하는 한 평화는 불가능하다. 국제자본은 평화적인 산업이 아니라 전쟁으로 돈을 번다. 이러한 근원을 파헤쳐 이들을 대중에게 노출시키고 무력화시키지 않는다면 평화는 찾아오지 않을 것이다.

이것이 바로 유대인 문제의 핵심이다. 왜냐하면 국제적 돈의 권력은 유대인의 것이기 때문이다.

_헨리포드 Wall Street Journal, 1926.1.26.

오늘날 국제유태자본가들은 주요 대중매체를 장악하였고, 세계정부수립을 위해 '문화'라는 이름으로 성경적인 가치관과 진리를 조롱하고 깎아내리고 있다. 즉, 이들은 공산주의와 반역, 근친살해, 마약사용, 프리섹스, 동성애와 포르노를 '모던'하며 '진보'적인 것으로 홍보하고 있다. 이러한 사단적인 문화를 인류의 사회적 진화를 위해 '열린 사고'를 갖고 수용해야 한다는 괴변을 사람들의 사상 속에 심고 있는 것이다.

미국의 네오콘을 논하며 미국이 보수화되고 있다고 떠드는 한국 사람들도 한심하긴 마찬가지다. 이들은 미국이 어떻게 굴러가는 나라인지 개념조차 없다. 자칭 유대인의 자본으로 전 세계를 기만하고 있는 AP통신, 로이터, AFP, 타임, 뉴스위크 같은 자칭 유대인 선전매체들을 절대적 진리로 알고 있는 것은 한국의 보수 우파들의 무지를 보여주는 것이다.

이들은 유대 언론이 쳐 놓은 '신자유주의 개혁'이라는 연막 뒤에서 국제적인 유대인 머니맨들이 벌이는 '민영화' 노름이 뭘 의미하는지를 모르며, 우크라이나의 기간자본을 '민영화'하기로 약속한 유센코를 이스라엘과 월스트리트가 밀어주었다는 사실도 모르고 있다.

조지 소로스의 '열린사회 재단'이라는 희한한 단체가 동구권에서 도대체 무슨 일을 벌이고 있는지에 대해서도 사람들은 캄캄하다. 유대인들이 소유하고 제작하는 타임지가 소로스를 '현대의 로빈 후드'로 띄워주자, 이들은 칼 포퍼라는 고상한 유대인 철학자를 추종하는 소로스도 역시 좋은 일을 하고 있겠지 정도로 생각하고 있다. 하지만 로마 정치가 키케로는 사람이 역사(歷史)를 모르면 평생 어린애로 남는다고 말했다.

WTO, FTA의 세계화 그리고 세계단일정부

1995년 전 세계 단일시장 구축을 목표로 세계무역기구(WTO)가 창설되었다. 국경을 넘는 자유로운 교역이 가능한 광역 시장의 출현은 로스차일드 가문이 창업 이래 추구해온 이념이었다. 실제로 로스차일드 가문은 200년 넘게 국경을 넘는 무역과 금융 활동을 전개하여 전 세계 단일화를 줄기차게 추진해 왔다. 이들은 문어와 같이 국제사회의 모든 부분에 뿌리 깊게 관여하면서 여러 개의 다리를 통해 하나의 세계로 통합하고 있다. 프리메이슨, 일루미나티에는 사단의 회당이며 자칭 유대인인 로스차일드라는 뿌리가 있다.

로스차일드 가문은 미국연방준비은행(FRB)과 세계은행(World Bank), 국제결제은행(BIS), 국제통화기금(IMF)을 통해 금융제국을 움직이고 있다. 이제 런던을 기반으로 하는 제이콥 로스차일드와 뉴욕을 기반으로 하는 록펠러의 국제 네트워크는 세계금융질서를 재편하기 위해서 준비되어있다.[70]

그 중심에는 중국과 미국의 금융전쟁이 진행되고 있고, 로스차일드의 주요 공략 지점은 한반도를 중심으로 하여, 동북아시아의 힘의 질서를 개편하기 위한 움직임을 보이고 있다. 2012년 로스차일드 그룹은 아시아의 세계단일정부 체제로의 개편을 위해 한반도 통일의 시대를 구체적으로 준비하고 있다. 이를 통해 중국과 러시아의 힘의 균형이 급격하게 변화되게 될 것이다. 이미 중동은 2011년 이란과 사우디아라비아를 제외하고 놀라운 속도로 권력 구조가 변화되었으며, 이제 그 마지막 작업으로 이란과 사우디를 향해 움직이고 있다.

거대한 인위적인 조작으로 세계의 금융시스템은 가라앉고 있다. 그리고 거대한 타이타닉호가 침몰하고 있다는 사실을 대중들이 알기 시작하면 신사적인 신세계질서의 준비자들인 거대 금융가들과 프리메이슨 집단은 늘 그래왔듯, 충실하고 믿음직스러운 정치인들을 통해 영웅을 배출해 낼 것이다. 우리 모두는 그들을 경제적 침몰로부터 구해준 위대한 영웅으로 인식 할 것이다. 그러나 새로운 구조선에 탔을 때 알게 될 것이다. 그 구조선이 바로 세계연방 준비은행이라는 사실을. 사람들은 혼란과 무질서, 그리고 전쟁이후의 사회는 급속도로 안정되며 단일사회의 화려한 역사를 보게 될 것이다.

평화라는 거짓된 이름으로 그들은 언제나 파괴 가운데 질서를 창조한다. 세상은 급속도로 회복되며 세계경제는 엄청난 경제 성장과 부흥을 맞이하며 유비쿼터스 시대의 놀라운 편리함과 효율성 속에 사람들은 스스로 빅브라더(Big Brother)의 사회에 적응할 것이다. 결국 몇 건의 테러사건들 이후 생체 칩의 강제성이 입법화 될 때, 신앙적인 이유로 생체 칩을 거부하는 자들은 매매 활동과 경제활동을 못하는 상황이 되어 마지막 선택을 강요받게 될 것이다.

우리는 역사를 통해 미래를 볼 수 있다. 불과 80년 전 히틀러가 어떻게 거짓되고 증오심이 가득한 연설로 사람들을 선동하여 600만 명의 유대인을 학살했는지, 우리들은 기억하고 있다. 그리고 모두가 평화롭고 편리하다고 생각하는 그 생체 칩을 2000년 전에 쓰인 성경의 몇몇 문자 때문에 거부하는 기독교인을 차갑게 바라볼 대중의 시선을 우리는 충분히 상상해 볼 수 있다.

돈을 사랑함이 일만 악의 뿌리가 되나니 디모데전서 6:10

다가오는 전쟁의 포성
헨리 키신저의 인터뷰

헨리 키신저
독일 출신의 미국의 정치가이자
정치학자. 하버드대학 교수를
지냈으며 대통령보좌관 겸
국가안전보장회의 사무국장과
국무장관을 역임하였다

ⓒ연합뉴스

미국은 현재 중국과 러시아에 배팅을 걸고 있으며 이스라엘의 주 적인 이란은 곧 끝장이 나게 될 것입니다. 그간 미국이 중국 측에서 군사력을 증강하도록, 또 러시아로 하여금 공산주의의 휴유증에서 복구되도록 눈감아 준 것은 중국과 러시아가 잘못된 승리의식을 가지게 해서 결국 더 빠르게 쇠망하도록 하려는 목적이 있었기 때문입니다. 미국은 마치 노련한 저격수와 같아서 애송이들이 총을 들어서 쏘려고 할 때 즉각적으로 무자비한 응징을 가할 것입니다. 다가올 전쟁은 매우 극렬할 것이며 단일 초강대국인 미국만이 유일한 승리를 거머쥘 것입니다. EU는 이를 대비해 전쟁에서 살아남기 위해 단결된 하나의 강대국으로 연합하려고 서두르는 중이죠. EU가 이렇게까지 급하게 준비하는 것을 보면 대 결전의 순간이 얼마 남지 않았음을 확실히 알 수 있습니다.

저는 이런 순간이 오기를 얼마나 간절히 바래왔는지 모릅니다.

키신저는 덧붙였다. 평범한 사람이라면 시골로 이주해 농장을 경영하면서 전쟁에 대비할 수 있겠죠. 하지만 총을 휴대해야 할 것입니다. 굶주린 떼거리가 당신을 습격할 수도 있을 테니까요. 엘리트층은 안전한 은신처에서 보호받게 되겠지만 전쟁이 일어나게 되면 누구라도 안전을 보장받지는 못할 것입니다. 우리는 군대를 동원해 중동 7개 국가들의 천연자원을 거의 다 점령했습니다. 이란이 균형을 무너뜨리는 상황이 되면 미국이 개입할 것이고 중국과 러시아도 가만히 있지는 않을 것입니다. 결국 이스라엘이 군대를 총동원하여 아랍 국가들을 공격하는 상황이 오겠죠. 상황이 잘 풀리면 중동의 반 이상이 이스라엘에 의해 점령될 것입니다. 미국의 청년들은 이 때를 대비해 지난 10년간 잘 훈련 받아 왔습니다. 저희는 Call of Duty Modern Warfare-3 라는 예측 프로그램을 통해 가까운 미래에 어떤 일들이 벌어질지 예견할 수 있었습니다. 미국과 서방의 청년들은 대포로 무장된 정예부대이며 저 미친 중국인들과 러시아 패거리들을 상대로 곧 전쟁에 돌입하게 될 것입니다. 전쟁의 폐허가 된 잿더미 위에 새로운 사회가 건설될 것이며 초강력 단일 패권국이 세계정부를 세우게 될 것입니다. 미국이야말로 비교가 불가능한 세계 최고의 무기를 소유하고 있으며 이 무기들은 가까운 시일 내에 사용될 것입니다.

출처: http://www.dailysquib.co.uk

세계정부를 위한 문화혁명

오늘날 중동에서 일어나는 유혈사태와 2011년 10월 미국의 월가에서 진행되는 집단 데모와 우리 사회에서 일어나고 있는 여러가지 일들은 조작된 인식의 패러다임을 통해 운영된 결과이며, 이러한 일들은 내부의 문명을 조종하는 지배 엘리트의 구조물이다. 신세계질서를 만드는 조종자들은 인류의 행동양식을 오랫동안 면밀히 연구해왔고 인간의 원초적 경향을 기술적으로 통제함으로써 대중을 조종하려 하고있다.

요즘 전 세계에서 일어나고 있는 한류열풍도 로스차일드와 록펠러를 주축으로 신세계질서를 완성하기 위해서 문화 부문의 세부적인 작업으로 진행되고 있는 것 중의 하나이다. 이들은 이와 같이 무력으로 지배하지 않는 자신들의 지배 시스템을 '혁명'이라고 부른다.

오늘날 수많은 대중매체와 미디어를 통해 전달되는 소위 문화산업의 조류를 많은 사람들은 단지 시대의 흐름으로 받아들인다. 그리고 예수 그리스도를 믿는 사람들도 그리스도인의 삶과 전혀 거리가 먼 대부분의 주류 문화를 단지 '문화'라는 이름으로 받아들이고 있다. 또한 일반 대중들은 영적인 시각으로 문화를 재해석하는 것에 대해 시대의 흐름을 따라가지 못하는 몰지각한 것이라 비난하기도 한다.

이렇듯 사단이 가장 효과적으로 사용하는 도구는 바로 '문화'이다. 우리가 날마다 접하는 영화, 음악, 광고, 신문 매체가 각종 문화라는 이름으로 그리스도인들의 가치관을 정면으로 도전하며 이들의 정체성과 가치관까지 흔들고자 한다. 문화라는 매체를 통해 대중을 혼미케 하는 사단의 정체를 알아야 한다.

그리고 많은 그리스도인들은 프리메이슨 집단이 어떻게 사단을 숭배하면
서 문화를 형성해 나가고 있는지 인식조차 하지 못하고 있다. 결국 오늘날
의 그리스도인들은 거대한 사단의 문화에 함몰된 채, 경건의 모양은 있으
나 능력은 잃어버린 세대가 되었다. 따라서 이 장에서는 문화의 본질이 무
엇이며, 프리메이슨과 문화는 어떠한 관련성을 갖고 있는지 알아봄으로써
오늘날 한류 열풍의 이면에 숨겨진 세계단일정부 문화운동의 실체에 대하
여 알아보도록 하겠다.

성경에서 말하는 문화의 의미

문화(文化)는 무엇인가? 영국의 인류학자 E.B. 타일러는 자신의 저서 『원시
문화Primitive Culture(1871)』에서 문화란 "지식·신앙·예술·도덕·법률·관습 등
인간이 사회의 구성원으로서 획득한 능력 또는 습관의 총체"라고 정의를 내
렸다.[71] 좀 더 정확하게 알아보기 위해 문화라는 단어의 어원을 살펴보자.
'문화'는 영어의 'Culture'를 번역한 말이며 그 어원은 라틴어의 'Cultura'이
다. 라틴어의 'Cultura'의 근원을 다시 알아보면 'Cultus'와 만나게 된다. 여
기서 'Cultus'는 두 가지 뜻을 가지고 있다. 그 하나는 제사 등 종교 의식

을 의미하고 또 하나는 경작(Cultivate)을 의미한다. 고대시대에는 농업의 경작 역시 종교행위였다. 경작은 '영농제', '기원제', '감사제' 등 많은 종교 행사로 이어지기 때문이다.[72]

잠시 성경으로 돌아가 '문화'인 '제사'가 어떻게 시작되었고, 하나님이 원하시는 예배는 무엇인지 알아보도록 하자. 창세기를 보면 하나님이 흙으로 사람을 지으셨다. 그리고 하나님은 생기를 그 코에 불어 넣어 생명이 되게 하셨다. 그러나 사람이 하나님의 말씀에 불순종하여 '옛 뱀' 곧 사단의 말을 듣고 선악을 알게 하는 나무의 실과를 먹었기 때문에 에덴동산에서 쫓겨나게 되었다. 그리고 사람들은 농사를 지으며 땀 흘려 수고하고 그 식물을 먹는 삶을 살게 되었다. 그리고 사람이 땀 흘려 수고하여 얻은 수확물로 인류사의 첫 제사, '예배'가 시작되었다. 이른바 문화의 시작이었다. 그러나 하나님은 가인의 제사를 받지 않으시고 아우인 아벨의 제사만을 열납하셨다. 이렇듯 하나님이 원하시는 예배, 즉 '문화'는 겉으로 드러나는 형식이 아닌 그 마음의 중심이다.

나는 인애를 원하고 제사를 원하지 아니하며 호세아 6:6

하나님은 장로들의 유전을 쫓아 형식화되는 예배를 폐하시고, 신령과 진정으로 마음을 드리는 예배를 원하셨다. 하나님은 늘 인간의 마음의 중심을 원하셨다. 그러나 이스라엘의 초대 왕이었던 사울은 거대한 행사로 제사를 진행했고 이로 인해 하나님은 그 제사를 받으실 수 없으셨다.

다윗은 왕이 되어서도 목동으로서, 도망자로서의 때를 생각하며 날마다 마음을 드리는 성공적인 예배자가 되었다. 다윗이 드린 예배의 성공은 그

아들 솔로몬 때에 이르러 황금빛이 찬란한 성전 건축으로 이어졌다. 그러나 하나님이 진정으로 원하시는 것은 화려한 성전이 아니라 하나님을 간절히 사랑하는 그 진실한 마음이었다. 화려한 성전은 진실한 마음의 표현으로 지어졌지만, 아이러니 하게도 그것은 사람들의 진실한 마음을 가리고 예배가 형식화되는 계기가 되고 말았다. 그리고 마침내 이스라엘은 멸망하게 되었다. 예수님이 오셨던 2000년 전 이스라엘에도 유전을 쫓아 행하던 장로들의 수많은 제사에 대하여 예수께서는 외식이라며 꾸짖으셨다. 당시 종교 지도자들은 자신들이 하나님을 섬긴다고 생각했지만, 형식화 되어버린 그들의 종교행사에는 거짓된 외식만이 가득했다.

> 외식하는 서기관들과 바리새인들이여 너희는 천국 문을 사람들 앞에서 닫고 너희도 들어가지 않고 들어가려 하는 자도 들어가지 못하게 하는도다 마태복음 23:13

이렇게 마음으로 하나님께 예배드리지 않고 외식하던 자들은 참 평화의 왕으로 오신 예수님을 십자가에 못 박고 말았다. 한국교회도 동일하게 이러한 외식을 답습하고 있다. 아무것도 가진 것 없어 눈물로 씨를 뿌린 믿음의 선배들이 세운 교회는 화려한 '건물'만이 남고 더 이상 하나님의 임재가 사라져 버렸다. 그러므로 우리의 예배는 '마음의 예배'로 다시 회복되어야 한다.

유럽과 미국의 수많은 교회들 역시 이와 같은 실수를 답습해왔다. 그 결과 건물의 화려함 뒤에는 텅 빈 교회만이 남게 되었다. 화려한 건물을 지으려던 우리의 열정이 하나님을 향한 뜨거운 사랑으로 여전히 더 깊어져 간다면, 그것은 '건물'과 '형식'으로 표현되는 것이 아닌 '하나님 사랑'과 '이웃 사랑'의 '문화'로 표현될 것이다. 그러할 때 이것은 세대를 넘는 지속적인 헌신의 '예배', 즉 '문화'가 될 것이다.

만일 우리가 문화를 통해서 다음 세대에 예수 그리스도의 뜨거운 심장을 전달하려면, 우리의 예배는 더 이상 '종교와 형식'이 아닌 신령과 진정으로 드리는 '마음의 예배'가 되어야 한다. 역사를 통해 알 수 있듯이, 기독교가 '종교'로 변질되기 시작할 때 기독교의 화석화는 이미 시작되었다. 더 나아가 이제 기독교는 세상에서 빛과 소금의 역할을 다하지 못하여 '하나님의 문화'를 세상에 전파하기 보다는, '세상의 문화'에 굴복해버리는 모습이 되어버린 것이다. 우리는 다시금 진정한 '문화'의 의미를 회복하기 위하여, 살아있는 예배를 통해 열방을 향하여 나아가는 하나님의 신실한 백성이 되어야 할 것이다.

앞에서 설명했듯, 문화는 제사라는 말의 어원으로 시작되었다. 바로 '문화'의 의미는 '제사'의 진정한 의미와도 같이 하나님과의 관계를 연결하는 도구라는 뜻이다. 그러나 교권을 강조한 사두개파와 율법에 집착하는 바리새파에 의해 진정한 문화를 잃어버린 채 종교화 되었다. 예수께서 오신 것은 성전의 교권주의자들과 율법적 근본주의자들이 내버린 문화를 회복하시기 위함이었다. 그리고 그 키워드는 '사랑'이었다.[73] 그 분은 온전한 예배의 문화를 온 땅에 회복하기를 원하셨고, 그것은 마음의 중심을 원하시는 하나님의 마음이었다.

> 네 마음을 다하고 목숨을 다하고 뜻을 다하여 주 너의 하나님을 사랑하라 하셨으니 이것이 크고 첫째 되는 계명이요 둘째는 그와 같으니 네 이웃을 네 몸과 같이 사랑하라 하셨으니 이 두 계명이 온 율법과 선지자의 강령이니라 개역한글, 마태복음 22:37-40

다시 말하자면 문화란 하나님을 사랑함과 이웃 사랑의 마음을 온 열방 가운데 충만케 하여 모두가 예수 그리스도의 사랑을 경험하도록 하는 것이며 그 선한 열매를 통해 다음 세대의 심장 속에 예수 그리스도의 심장을 심는 것이다. 그 핵심이 바로 사랑이다.

그러나 사단은 바로 이러한 하나님 나라가 확장되고 회복되는 통로인 문화를 장악함으로써 우리로 하여금 하나님을 온전하게 예배하지 못하도록 하였다. 그들은 이 세상에 하나님 나라가 오지 못하도록 이렇게 철저히 막는 것이다. 문화는 본래 하나님의 것이고 그 주인은 하나님이셨다. 예배와 삶을 통해 하나님을 만나고 그 분과 동행하는 삶, 이것이 곧 문화였다.[74] 그러나 사람이 뱀의 미혹을 따라 그 문화의 근원이 되시는 하나님과 멀어지면서 문화는 이 세상 임금인 사단을 섬기는 도구로 전락해버린 것이다.

프리메이슨의 문화

로스차일드의 가문의 후원으로 20세기 초에 발굴된 이집트 투탕카멘의 황금벽화에서는 이러한 사단의 역사가 정확하게 기록되어 있다. 사단은 하나님의 것을 모방한다.

> 여호와 하나님이 땅의 흙으로 사람을 지으시고 생기를 그 코에 불어
> 넣으시니 사람이 생령이 되니라 창세기 2:7

이와 같이 오늘날 세상을 지배하는 자칭 유대인이며 사단 숭배자들인 프리메이슨의 이집트 벽화에서는 하나님의 역사를 시작부터 왜곡하는 사단

의 문화를 확인 할 수 있다. 따라서 세계를 하나의 정부로 만들어가는 프리메이슨의 문화를 확인해 봄으로써 이들 문화가 옛 뱀 곧 사단과 어떻게 연결되어 있는지 그 역사를 알아봐야 할 것이다. 하나님이 노아시대에 물로 세상의 죄악을 심판하시고 하나님의 문화를 충만케 할 새로운 계획을 시작하셨듯이, 사단도 하나님을 대적할 만한 계획을 만들고 있었다.

| 사람에게 생령을 불어넣는 뱀의 형상

> 노아의 아들 셈과 함과 야벳의 족보는 이러하니라 홍수 후에 그들이
> 아들들을 낳았으니 창세기 10:1

여기서 노아의 둘째 아들 '함'은 구스, 미스라임, 붓과 가나안을 낳았고 구스는 니므롯을 낳았다.

> 구스가 또 니므롯을 낳았으니 그는 세상의 첫 용사라 그가 여호와 앞
> 에서 용감한 사냥꾼이 되었으므로 속담에 이르기를 아무는 여호와
> 앞에 니므롯 같이 용감한 사냥꾼이로다 하더라 창세기 10:8-9

> 온 땅의 언어가 하나요 말이 하나였더라 이에 그들이 동방으로 옮기
> 다가 시날 평지를 만나 거기 거류하며 서로 말하되 자, 벽돌을 만들

어 견고히 굽자 하고 이에 벽돌로 돌을 대신하여 역청으로 진흙을
대신하고 또 말하되 자, 성읍과 탑을 건설하여 그 탑 꼭대기를 하늘
에 닿게 하여 우리 이름을 내고 온 지면에 흩어짐을 면하자 하였더니

창세기 11:1-4

이 세상을 하나로 통합하고 하나님을 대적하는 문화를 만들고자 사단이
택한 사람은 바로 창세기 11장에 등장하는 '니므롯'이다. 용사로 번역된 히
브리어 기보르(Gibbor)는 정확하게 번역하면 폭군이나 독재자에 해당하는 단어
이다. 또한 '여호와 앞에 니므롯 같이'의 '여호와 앞에서' 라는 말은 히브리어로
파님(Panim)이라고 하며, 이것은 영어 before(앞에서)라는 의미보다 against(반대
하여, 대적하여)라는 의미가 더 강하다. 그러므로 《현대인의 성경》은 창세기
10장 8절을 다음과 같이 번역하고 있다.

구스는 또 니므롯이라는 아들을 낳았는데, 그는 세상에서 최초로 정
복자였다. 그는 여호와를 무시하는 힘 센 사냥꾼이었으므로 "니므롯
처럼 여호와를 무시하는 힘 센 사냥꾼" 이라는 유행어까지 생기게 되
었다 현대인의 성경, 창세기 10:8

1563년 화가 브뤼겔이 그린 바벨탑

유럽 의회의 본부 건물

니므롯은 모든 백성들로 하여금 '하나님을 대적하여' 반역하게 한 자
이다.[75] 유대백과사전(The Jewish Encyclopedia, 9권 p.309)

그 당시 사람들로 하여금 하나님에 대해 그토록 모욕적이고 경멸적으
로 격동시킨 자는 니므롯이었다. 그는 하나님이 또 다시 세상을 물에
잠기게 할 마음을 갖고 있다면 하나님에게 복수하겠다고 말했다. 그
러기 위해 물이 닿을 수 없을 만큼 높은 탑을 쌓고 조상들을 죽인 하
나님에게 자기가 직접 복수하겠다고 말했다. 그들이 탑을 세운 곳을
지금도 바벨론이라고 부른다.[76] 유대고대사(Antiquities of the Jews, 1권 p.403)

　　역사의 기록에서 바벨탑 공사를 주도한 사람을 '니므
롯'이라고 기록하고 있다. 함의 자손인 니므롯이 노아의
장자권자인 셈의 성들을 지배했다는 것은 하나님과의 관
계를 연결하는 제사가 사라지고 전쟁과 무력에 의한 통치
가 시작되었음을 의미한다.[77] 이때부터 하나님을 떠난 인
본주의 문화는 세계로 퍼지게 된다.

　　함의 후손 니므롯에 의한 가나안의 반란은 노아와 그
의 하나님에 대한 '복수'였다. 그들은 사단에게 사로잡힌
복수의 화신이 되었다. 그리스의 신화는 모두 니므롯의
가나안 문화에 뿌리를 두고 있다. 그리스 신화에 반영된
불사조(不死鳥) 피닉스(Phoenix)는 가나안의 하나님을 향한
복수를 상징하는 새였다.[78] 이 불사조 피닉스[79]는 오늘날
까지 사단의 문화로 살아남아서 미국의 국가를 상징하
는 새로 남아있다.

**1달러 지폐 뒷면의
독수리형상의 피닉스**
미국 국새의 정면 디자인
이자 미국 대통령의 상징
인 독수리도 이집트 호루
스를 상징하는 매에서 유
래된다. 독수리의 오른쪽
날개의 32개 깃털은 스코
티쉬 프리메이슨의 계급
수를 의미하며, 왼쪽 날
개의 33개 깃털은 프리메
이슨 최고 등급인 그랜드
마스터를 의미한다.

투탕카멘의 칭호가 적힌 이집트의 뱀

니므롯은 자신의 권력을 강화시키기 위하여 자신을 태양신으로 하고 그의 아내 세미라미스(Semiramis)를 여신으로 숭배하게 하였으며, 그의 아들 담무스(Tammuz)는 니므롯이 환생한 인물이라고 선포하였다. 이집트 시대에는 태양신이 '라'(Ra), 여신은 '이시스'(Isis), 아들신 '호루스'(Horus)가 숭배되었다. 또한 그리스 신화에는 제우스, 헤라, 헤라클레스가 숭배되었다. 이것은 전 세계의 언어는 달라졌지만 여전히 그들의 뿌리인 니므롯으로부터 이어온 동일한 우상숭배를 하고 있음을 단적으로 보여주는 것이다. 즉, 이것은 하나의 뿌리 '니므롯'으로부터 시작된 우상숭배이며 또한 모든 우상숭배의 조형물에는 뱀이 있는데 이 모든 것이 사단으로부터 시작된 거짓이기 때문이다.

에스겔서 8장 14절에는 "그가 또 나를 데리고 여호와의 전으로 들어가는 북문에 이르시기로 보니 거기에 여인들이 앉아 담무스를 위하여 애곡 하더라" 라고 기록되어 있다. 그리고 이러한 담무스 숭배가 바벨론으로부터 시작된 '태양신 숭배'에서 이어진 것임을 성경은 다음과 같이 기록하고 있다.

> 그가 또 내게 이르시되 인자야 네가 그것을 보았느냐 너는 또 이보다 더 큰 가증한 일을 보리라 하시더라 그가 또 나를 데리고 여호와의 성전 안뜰에 들어가시니라 보라 여호와의 성전 문 곧 현관과 제단 사이에서 약 스물다섯 명이 여호와의 성전을 등지고 낯을 동쪽으로 향하여 동쪽 태양에게 예배하더라 에스겔 8:15-16

여호와께서 사람들이 건설하는 그 성읍과 탑을 보려고 내려오셨더라…

자, 우리가 내려가서 거기서 그들의 언어를 혼잡하게 하여 그들이 서

로 알아듣지 못하게 하자 하시고 여호와께서 거기서 그들을 온 지면

에 흩으셨으므로 그들이 그 도시를 건설하기를 그쳤더라 창세기 11:5, 7-8

그래서 전 세계의 기독교를 제외한 모든 종교를 살펴보면 그 속에는 뱀 또는 용의 형상이 그려져 있고 여기에는 태양신 숭배와 여신 숭배 사상이라는 공통점을 갖고 있다.

이것은 기독교를 제외한 모든 종교가 하나의 뿌리 '니므롯'으로부터 비롯된 것이고 이 이면에는 옛 뱀 곧 사단으로부터 시작된 것임을 증명하고 있는 것이다. 이러한 역사를 통해 성경에 기록된 바벨탑 사건과 하나님이 언어를 흩으셨던 기록이 역사적 사실임을 알 수 있다.

이렇듯 뱀 숭배 문화는 사단으로부터 시작되었고 이러한 우상숭배는 곧 사단을 예배하는 집단의 문화가 되었다. 그리고 기원전 3400년경에 이르러 뱀으로부터 시작된 태양신 숭배와 여신 숭배는 이집트에서 화려하게 꽃 피우게 된 것이다.

이 여신 숭배는 세계 각처로 흩어지면서 각 민족들마다 다른 이름으로 포장되어 나타나고 있지만 그 뿌리는 모두 '바벨론'의 '태양신 숭배'로부터 비롯된 것이다. 그리고 이 여신 숭배에는 바벨론에서 세라스미스와 그 아들 담무스가 숭배의 대상이 되었듯이, 각 지역에도 그들의 여신과 아들신이 함께 등장하고 있다.[80]

세계 각지의 여신숭배사상

나라 / 민족 / 지역	여신과 그의 아들의 이름
바벨론	세미라미스와 담무스
중국	싱무와 그의 아들
고대 독일	헤르다와 그의 아들
스칸디나비아	디사와 그의 아들
에투루리아	누트이라와 그의 아들
드루이 족	비리고 파리투라와 그의 아들
에베소	아데미와 그의 아들
수메르	나나와 그의 아들
인도	이쉬와 이스와라
소아시아	키벨레와 디오이우스
이집트	이시스와 호루스
이탈리아	마돈나와 그의 아들
페키니아	바다의 여인 그의 아들
고대 로마	비너스와 쥬피터

전 세계를 하나의 공동체로 전환하는 문화혁명

스탠포드 연구소 SRI(Stanford Research Institute)는 제2차 세계대전이 끝난 직후 1946년에 설립되었다. 이 연구소에서는 찰스 A. 앤더슨의 통치 아래 '마인드 컨트롤'에 대한 연구와 '미래과학'에 중점을 두었다. 스탠포드 산하의 찰스 F. 케터링 재단(Charles F. Kettering Foundation)에서는 '인간 이미지 변혁'을 개발하여, 인간의 의식과 대중 의식을 통제하기 위해 연구 개발 하였다. 그 첫 성공 사례는 비틀즈의 음악 비트에 백워드 음원을 삽입하여 그들의 목적을 달성하려는 것이었다.

비틀즈 음원의 백워드 내용은 크게 3가지로 분류된다. 첫째, 마약을 할 것 둘째, 프리섹스를 할 것 셋째, 부모님을 거역할 것 등이다. 이러한 비틀즈 음악에 담긴 대중 통제 프로그램 결과 미국사회는 프리섹스와 마약 문화 및 부모와 갈등하는 히피세대가 양산되었다.

사람은 보고 듣는 대로 반응하게 되어 있다. 사단은 이러한 영적 원리를 잘 알고 있기 때문에 이러한 연구 기관을 통해서 집단의 타락을 조장하고 있는 것이다. 따라서 성경에는 이러한 세상 속에서 그리스도인이 어떻게 살아야 하는가에 대한 영적인 원리를 분명하게 기록하고 있다.

> 너희는 이 세대를 본받지 말고 오직 마음을 새롭게 함으로 변화를 받
> 아 하나님의 선하시고 기뻐하시고 온전하신 뜻이 무엇인지 분별하도
> 록 하라 로마서 12:2

> 모든 지킬 만한 것 중에 더욱 네 마음을 지키라 생명의 근원이 이에
> 서 남이니라 잠언 4:23

한국의 음악 중에서도 이러한 관점에서 세계정부를 위한 대중의 의식구조를 변화시키려는 목적을 담고 있는 것들이 상당하다.

K-POP 열풍과 로스차일드 그룹

로스차일드가는 세계단일화를 위해 '민족성 파괴, 민족주의 해체, 성적 타락, 사탄숭배확대' 등을 목적으로 세계 모든 문화 매체를 세계정부를 위한 문화혁명의 도구로 활용하고 있다. 로스차일드 남작부인은 와인산업을 통해 전 세계의 반기독교적인 사단 숭배와 성적 타락에 재정적 후원을 하고 있다. 로스차일드가는 20년 넘게 프랑스 칸 영화제를 후원하고 있는데 칸 영

화제는 매년 반 기독교적이며, 타락한 성적 표현을 선도적으로 표현한 영화에 상을 주는 영화제로 유명하다.

> 이수만 SM엔터테인먼트 회장이 샤또 무똥 로스차일드에서 기사 작위 받았다. 이수만 회장은 6월 23일(프랑스 현지시각) 프랑스 보르도에 위치한 메독의 특 1등급 와인 샤또 무똥 로스차일드의 그랑셰(Grand Chai, 와인저장고)에서 보르도 꼬망드리 와인 기사 작위를 받았다.[81]
>
> _『머니투데이 스타뉴스』 2009.6.25.

그가 로스차일드에서 작위를 받은 이후 발표된 노래 제목은 다음과 같다.
1. 〈Run Devil Run〉 2010. 3. 22. 소녀시대 앨범
2. 〈Shiny Lucifer〉 2010. 9. 30. 샤이니 앨범

이러한 노래들을 백워드하여 확인해 보면 이들이 대중들의 의식 속에 무엇을 세뇌하고자 하는지 확인 할 수 있다. 이들은 이러한 대중음악을 통해 전 세계의 민족의식을 허물고 '하나의 세계의식'을 확산시키고 있다. 오늘날 생산되는 거대한 상업방송이 여러 가지 대중 세뇌기술을 운용해서 세계정부를 준비하는 집단과 적그리스도의 세계정부의 길을 준비하는 도구로 깊이 이용되고 있다. 이를 통해 이들이 문화영역을 통해 얼마나 빠르고 효율적으로 단일정부에 대한 메시지를 대중에게 세뇌시키고 있는지 적나라하게 드러난다.

브레진스키 교수가 기획한 '탈공업화 제로성장사회'라는 정책에 근거하여 오늘날 청년세대는 진정한 자신의 꿈을 잃어버린 채 대량실업의 늪 속에 빠지게 되었다. 그리고 국민의 도덕기준과 성적의식은 자극적인 음악과 영상·

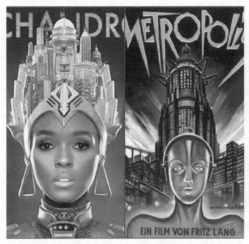

| 1927년 메트로폴리스 포스터를 재현한 자넬 모네의 앨범자켓
| 메트로폴리스 장면을 연상케 하는 비욘세의 공연의상

영화를 통해 잠식되어가고, 결국엔 기존의 가치관은 파괴되어 세계정부가 주도한 문화혁명에 자연스럽게 흡수되는 것이다.

헐리우드 문화와 신 바벨탑 운동

1927년 프리츠 랑 감독의 메트로폴리스는 과거 사단을 숭배하던 선조들이 바벨탑을 건설하다 실패한 사례를 분석하며 제2의 바벨탑을 성공시키기 의하여 다음과 같은 결론을 짓는다.

"사람의 손과 머리를 통제하기 위해서는 마음을 가져야 한다." 그러한 목적을 달성하기 위하여 사람들의 마음을 빼앗고자 다양한 문화를 통해 사람들을 통제해가는 신 바벨탑 건설의 전략을 영화를 통하여 잘 표현하고 있다. 그리고 오늘날 대중문화의 주요 모티브는 메트로폴리스의 신 바벨탑운동을 깊이 반영하고 있다.

세계단일정부를 위한 여성해방운동

일반적으로 여성해방운동은 여성의 권리와 여성의 사회적 지위가 향상되는 측면을 강조하고 있다. 니콜라스 록펠러는 그의 친구 아론 루소와의 대화에서 여성해방운동의 진정한 목적을 다음과 같이 분명히 밝히고 있다.

> 우리 록펠러 재단이 여성해방운동에 자금을 제공했지. 우리가 신문과 텔레비전을 이용해 이 운동을 크게 고무시켰어. 그 이유는 두 가지야. 첫째는 여성이 밖에서 일을 하면 소득세를 걷을 수 있으니까 세수가 늘어나지. 둘째는 가정이 붕괴되니까 아이들의 교육이 어머니에서 학교와 텔레비전으로 넘어가게 되어 우리가 다음세대를 조종하기가 쉬워지는 거야.
>
> _닉 록펠러(Nick Rockefeller)

여성의 지위가 향상되는 것은 좋은 일이지만 그 이면에 그 운동을 지원하는 자들의 생각은 우리의 일반적인 사고를 훨씬 뛰어 넘는다. 결국 록펠러 재단의 여성해방운동의 핵심은 가정을 파괴하여 다음 세대의 사고 의식을 텔레비전을 통해 장악하는 것이다. 오늘날 아이들이 보는 디즈니의 만화에서부터 인터넷을 통한 자극적인 정보들, 감각적인 음악들은 우리의 하나님을 알고자 하는 의식과 성향을 약화시키며 경건의 삶과는 전혀 반대되는 방향으로 진행시키고 있다.

2011년 현재 록펠러 재단의 여성해방운동기구는 그 본부를 중국 베이징으로 옮겨 중국의 가정을 파괴하고 있다. 이것은 자칭 유대인 집단의 세계정부계획 중 하나인 '대중의 우민화 전략'에 해당된다. 지배계급이 피지배계급의 사회구조에 대한 본질적 이해와 비판 의식을 둔화시킴으로써 지배계

급에 대한 충성심을 조장하며, 영리주의에 의한 퇴폐 문화의 발달과 도박
사업, 형식적 민주주의가 서구사회 뿐만 아니라 세계의 전 지역으로 치밀하
게 진행되고 있다.

장사꾼의 심판

하나님에 대한 니므롯의 반역은 이집트를 거쳐 오늘날 금융과 상업을 주도
하는 장사꾼들에 의해 하나님에 대한 반역의 문화로 표출되고 있다. 오늘날
사단의 문화를 승계한 프리메이슨인 로스차일드가와 록펠러가를 중심으로
한 금융산업자본의 장사꾼들은 '돈을 사랑하며, 사랑이 식어지는' 시대를
만들기 위해 모든 문화를 장악하고 있다.

> 너는 이것을 알라 말세에 고통 하는 때가 이르러 사람들이 자기를 사
> 랑하며 돈을 사랑하며 자랑하며 교만하며 비방하며 부모를 거역하며
> 감사하지 아니하며 거룩하지 아니하며 무정하며 원통함을 풀지 아니
> 하며 모함하며 절제하지 못하며 사나우며 선한 것을 좋아하지 아니
> 하며 배신하며 조급하며 자만하며 쾌락을 사랑하기를 하나님 사랑하
> 는 것보다 더하며 경건의 모양은 있으나 경건의 능력은 부인하니 이
> 같은 자들에게서 네가 돌아서라 디모데후서 3:1-5

> 바벨론은 여호와의 손에 잡혀 있어 온 세계가 취하게 하는 금잔이라
> 뭇 민족이 그 포도주를 마심으로 미쳤도다 예레미야 51:7

오늘날 이 장사꾼들은 바벨론의 우상 숭배 문화를 그대로 열방 가운데 전달하고 있다.

> 그의 이마에 이름이 기록되었으니 비밀이라, 큰 바벨론이라, 땅의 음녀들과 가증한 것들의 어미라 하였더라 요한계시록 17:5

그러나 역사의 마지막은 하나님이 결정하셔서 하나님 나라를 위해 성경대로 이루어지게 하신다. 사단의 문화를 이어가는 프리메이슨들의 종말에 관해 살펴보자.

> 힘찬 음성으로 외쳐 이르되 무너졌도다 무너졌도다 큰 성 바벨론이여 귀신의 처소와 각종 더러운 영이 모이는 곳과 각종 더럽고 가증한 새들이 모이는 곳이 되었도다 그 음행의 진노의 포도주로 말미암아 만국이 무너졌으며 또 땅의 왕들이 그와 더불어 음행하였으며 땅의 상인들도 그 사치의 세력으로 치부하였도다 하더라 또 내가 들으니 하늘로부터 다른 음성이 나서 이르되 내 백성아, 거기서 나와 그의 죄에 참여하지 말고 그가 받을 재앙들을 받지 말라 요한계시록 18:2-4

> 그가 얼마나 자기를 영화롭게 하였으며 사치하였든지 그만큼 고통과 애통함으로 갚아 주라 그가 마음에 말하기를 나는 여왕으로 앉은 자요 과부가 아니라 결단코 애통함을 당하지 아니하리라 하니 그러므로 하루 동안에 그 재앙들이 이르리니 곧 사망과 애통함과 흉년이라 그가 또한 불에 살라지리니 그를 심판하시는 주 하나님은 강하신 자이심이라 요한계시록 18:7-8

하늘의 성도들과 사도들과 선지자들아, 그로 말미암아 즐거워하라 하나님이 너희를 위하여 그에게 심판을 행하셨음이라 하더라 요한계시록 18:20

할렐루야 구원과 영광과 능력이 우리 하나님께 있도다 그의 심판은 참되고 의로운지라 음행으로 땅을 더럽게 한 큰 음녀를 심판하사 자기 종들의 피를 그 음녀의 손에 갚으셨도다 요한계시록 19:1-2

제3부

마지막 성도

들어가며

마지막 신호를 출간한 후 2년 여 동안 전 세계를 돌며 오늘날 이 땅에 일어나고 있는 사단의 역사와 하나님의 역사를 바라보게 되었다. 처음 사단의 치밀한 계획을 직접 눈으로 확인하고 깊은 것 까지 깨닫게 되자 그 눌림에서 벗어나기가 힘이 들었다. 그렇게 고민하며, 이 땅에 하나님의 회복의 역사를 놓고 기도할 때 이러한 그림 하나가 떠올랐다. 그것은 바퀴 두 개가 그려진 그림이었다.

성경말씀의 축

하나님의 바퀴   사단의 바퀴

자세히 들여다 보니 한쪽은 치밀한 사단의 바퀴였고 그 반대편은 하나님의 바퀴였다. 그런데 이 두 바퀴는 하나의 축에 연결되어 있었고, 이 때문에 이 둘은 같은 동선을 그리며 움직이고 있었다. 따라서 사단의 바퀴가 전진하면 하나님의 역사도 함께 진행되는 것이었다. 이 그림을 보면서 필자는 모든 일에 양면성이 함께 있음을 보게 되었다. 또한 이 두 바퀴를 이어주는 축이 바로 하나님의 말씀인 성경이었음을 알게 되었다. 그래서 사단이 어떠한 방법으로 움직여도 결국 하나님 말씀의 완성이라는 그 틀 안에서 움직일 수 밖에 없는 것이었다.

실제로 오늘날의 세계화는 사단을 숭배하는 '자칭 유대인'들에 의해 움직이고 있다. 그리고 그 이면을 살펴보면 기독교를 불법화시키고 적그리스도의 정부를 세우기 위한 일들이 치밀하게 진행되고 있음을 알 수 있다. 그러나 이러한 사단의 활동 역시 하나님의 뜻을 완성하기 위한 도구적 존재일 뿐이라는 것을 깨달아야 한다.

하와이 퀸스서프비치에 가면 새벽 동틀 무렵 수많은 사람들이 백사장에 나와 있는 모습을 볼 수 있다. 그들은 바로 파도를 타려고 나온 윈드서핑 (windsurfing)족 들이다. 바로 일찍부터 파도를 기다리는 것이다. 그리고 파도가 몰려올 때 거친 파도와 하나가 된다. 파도를 기다린 자만이 그 파도를 타는 것이다. 사단의 거대한 쓰나미가 몰려올 때 성령의 파도를 타는 사람은 지금 기도로 그 파도를 기다리는 자들이다. 그래서 우리는 지금 믿음으로 성령의 파도 탈 준비를 해야 하는 것이다.

따라서 우리는 믿음의 눈으로 하나님 나라를 준비해야 한다. 사단의 거대한 쓰나미가 우리의 진으로 몰려오기 전, 우리는 성령의 파도를 탈 준비를 해야 하는 것이다.

믿음의 눈으로 바라보지 못하는 한 쪽에서는 사단의 세력이 너무 강성하여 스스로 메뚜기와 같다고 아우성칠지도 모른다. 이러할 때에 혹자는 교회가 살아남기 위해서는 세상과 타협해야 한다고 주장하며 배도의 길을 걸어

가는 자들이 있을지도 모른다. 그러나 믿음의 눈으로 보면 악한 세력이 왕성한 것은 하나님 나라가 가까이 왔음을 알고 사단이 마지막 몸부림을 치는 것임을 깨달아야 한다. 이 전쟁은 여호와 하나님께 속해 있으며, 우리의 대장되신 예수 그리스도가 이미 승리하셨음을 믿음으로 바라보며 취해가는 과정이기 때문이다.

따라서 1부, 2부를 통해 사단의 전략을 확인했다면, 그들이 방해하고자 하는 궁극적인 하나님의 언약의 성취는 무엇인지 알아봄으로써 우리는 모든 자원을 집중하여 영원한 하나님 나라를 준비해야 할 것이다. 왜냐하면 하나님은 빛과 어두움 모두를 창조하신 분이시며, 우리 가운데 진정한 하나님 나라의 군대를 길러내고 계시기 때문이다.

이 시대의 하나님 나라의 군인은 환경에 지배받는 자들이 아닌, 오히려 모든 상황 가운데 신실하신 하나님만을 바라보며 환경을 지배하는 믿음의

시력을 훈련한 자들이다. 그리고 모든 상황 가운데 믿음으로 이기는 자의 삶을 성취하는 자들이다.

모든 것은 변한다. 환경과 돈의 가치가 변하는 것은 물론이거니와 시간도 빛의 속도에 의해 상대적으로 변한다. 하지만 그리스도인은 외부의 가변적인 가치로 인해 내 안의 하나님도 변한다고 생각하면 안 된다. 우리는 영원히 불변하시는 하나님을 통해서 모든 것이 변하는 상대적인 것들을 장악하고 그 가운데 이기는 자의 삶을 살아야 한다.

이 장에서는 사단이 오랫동안 공격한 지점을 역으로 추적하여, 하나님이 궁극적으로 회복하기 원하시는 부분이 무엇인지 확인하고 마지막 시대를 살아가는 우리 세대가 '마지막 교회'와 '마지막 성도'로서의 삶을 어떻게 이뤄가야 하는지 성령 안에서 확인하는 시간이 되기를 바란다.

제1장
이스라엘의 회복

하자르 족속의 아슈케나지 유대인들
진정한 이스라엘의 회복
잃어버린 유산을 찾아서
이스라엘과 이방인의 회복 가운데 또 하나의 함정

하자르 족속의 아슈케나지(Ashkenazi) 유대인들

우리가 이스라엘의 회복을 놓고 기도할 때 주의할 점이 있다. 오늘날 일반적으로 자신이 스스로 유대인이라고 말하며 국제사회의 지배계급에 있는 자들이 실상은 하나님이 인정하시는 유대인이 아니라 '자칭 유대인'으로 사단의 회당 프리메이슨들이라는 점이다. 세계사적으로 볼 때, 오랫동안 유대인의 뿌리를 논하는 것은 금기시되어 왔다. 그러나 현대 유대인들의 뿌리를 역사적으로 고찰해 보면 두 종류의 뿌리로 나뉘어 있음을 알게 된다. 한 그룹은 2천 년 전 로마제국이 예루살렘을 강탈한 이후, 북부 아프리카와 스페인 등 지중해를 중심으로 흩어진 성경에서 말하는 '히브리계'의 진짜 유대인들이다. 이들은 16세기에 스페인에서 유대인 차별법의 공포로 유럽 전역으로 흩어지게 되었다. 오늘날 이들은 스페인을 중심으로 흩어졌다고 하여 히브리어로 '세파르디'(Sephardi) 유대인으로 불린다. 또 다른 한 그룹은 우리가 생각하는 유대인과는 전혀 다른, '유대인이 아닌 유대인'이다. 사실상 유대인이라고 할 수 없는데 유대인으로 일컬어지는 사람들이다.[1] 이들은 정치적 목적과 필요에 의해 유대인으로 가장한 자들로서, '아슈케나지' 유대인으로 불린다.

이들은 스페인에 정착하였던 '히브리계' 유대인들보다 오늘날 그 인구가 더 많고 세력 또한 강력하다. 이들은 전 세계 유대인의 80% 이상을 차지하고 있는 '아슈케나지' 유대인이다. 이러한 유대사회 내의 질적 변화는 매우 중요한 의미를 함축하고 있으며,[2] 오늘날 국제사회를 주름잡고 있는 자칭 유대인의 실체이다.

이들 자칭 유대인들은 17~18세기에 로스차일드가를 대표로 유럽 사회의 강력한 자본과 무역의 흐름을 장악하고 은밀한 사단숭배 조직을 만들었다. 이들은 국제사회를 통치하며 형성되는 반유대주의를 통해, 하나님의 언약을 완성할 '히브리계' 유대인(진짜 유대인)을 학살한 결과 오늘날 유대인 구성의 80% 이상이 '아슈케나지'가 차지하게 된 것이다.

그러나 그 모든 사단의 방해에도 하나님은 완벽히 그 분의 뜻을 이루시는 분이다. 하나님은 사단의 반란과 저항 속에서도 하나님의 시간표에 따라 전진하신다. 사단은 예수 그리스도의 탄생을 알고 당시 헤롯왕을 통해 2세 이하의 남자아이들을 죽여 하나님의 역사하심을 저항했지만 결국 예수 그리스도는 장성하여 하나님의 뜻을 완성하셨다. 로마 제국과 바리새인들, 대중들은 모든 권력과 여론을 조장하여 예수를 십자가에 못 박았으나, 예수 그리스도는 오히려 사단에 의해 못 박히신 십자가에서 정사와 권세를 멸하시고 인류를 죄에서 구원하신 것이다. 오늘날에도 사단은 예수 그리스도의 재림을 방해하고자 진짜 유대인을 학살하고 거짓 평화의 이름으로 세계 선교의 길을 막고자 하나, 결국 이 모든 일을 통해서 하나님의 언약의 성취를 향해 전진하고 있는 것이다.

1977년 아서 케스트러가 쓴 『제13지파』라는 책이 세상에 나왔다. 백인계 유대인의 뿌리를 성실하게 조사해서 쓴 이 책은 많은 나라에서 출간이 금지된 책이기도 했다. 이 책의 저자는 세계를 지배하는 아슈케나지계 백인 유대인들은 사실상 아브라함과는 아무런 관련이 없는 터키계 백인(코카소이드)인 하자르인을 뿌리로 하는 사람들이라고 주장한다.

하자르 유대인 사회의 기원과 관련하여 이론을 제시한 사람 중 한 명은 이스라엘의 텔아비브 대학교(Tel Aviv University)의 중세 유대 역사 교수인 폴리악(A.N Polliak)이다. 그는 오늘날 세계에 생존해 있는 많은 유대인들이 유전적으로 아브라함(Abraham), 이삭(Isaac), 야곱(Jacob)의 씨보다는 훈(Hun)족, 위그르(Uigur)족, 마자르(Magyar)족과 더 가깝게 연관되어 있다고 주장한다.[3] 이것은 오랜 역사를 통해 자칭 유대인들이 전략적으로 생산한 '반유대주의 운동'(anti-Semitism)의 성공적인 결과이기도 하다.

이러한 하자르인들이 유대인이 된 과정은 다음과 같다. 7세기경 코카서스에서 카스피 해 북쪽 중앙아시아에 인구 100만 명 규모의 '하자르한국'이라는 나라가 존재했다. 그들은 터키계 백인들이었으나 국교를 갖고 있지 않았다. 그런데 당시 기독교를 국교로 하는 동로마 제국과 이슬람교를 국교로 하는 사라센 제국은 하자르한국을 가운데 두고 정치적인 대립을 하고 있었다. 점점 양국의 종교적 간섭을 받게 된 하자르한국은 어느 쪽의 종교로 국교를 정해도 국가 전체가 전화에 휘말리게 될 상황에 놓이게 되었고, 하자르 왕 칸 부란은 양쪽 종교의 뿌리인 유대교로 개종했다. 이 정책의 결과, 역사상 그 예를 찾아볼 수 없는 셈계 민족이 아닌, 다른 족속의 유대인이 탄생하게 된 것이다. 그리고 이때부터 토라(Torah)와 탈무드(Talmud)를 종교적 기반으로 삼아 유대 문화에 합류하게 되었다. 그러나 이들은 중국 쪽에서 밀고 들어온 칭기즈칸에 의하여 유럽 전역으로 뿔뿔이 흩어졌다. 성경의 진짜 유대인처럼 디아스포라를 경험한 것이다.

하자르 족은 주로 폴란드와 헝가리 독일 지역으로 피했다. 하자르 족을 독일어로 아슈케나지 유대인(Ashkenazi Jews)이라고 불렀다. 오늘날 이스라엘을 구성하고 있는 유대인의 많은 수가 이 독일계 유대인이다. 흔히 매부리코로 알려진 하자르 혈족의 13번째 유대인의 유래이다. 그래서 오늘날 이스라엘에는 크게 히브리계 유대인과 하자르계 유대인으로 나뉘도록 되었고, 국제사회의 권력과 이스라엘의 권력을 잡고 있는 이 하자르계 유대인들은 철저하게 히브리계 유대인들이 예수 그리스도를 메시아로 알게 되는 것을 막고 있다. 물론 하자르계 유대인을 집단적으로 모두 정죄할 수는 없지만 분명한 것은 그들은 진짜 유대인의 혈족이 아니며, 그 중 많은 수가 국제사회의 사단을 숭배하는 프리메이슨, 일루미나티와 연관되어 있다는 것과 로스차일드를 대표로 국제사회를 조종하며 세계를 하나로 만들어 가는 핵심 집단이라는 사실이다.

따라서 오늘날 시오니즘의 운동을 주도하는 자칭 유대인들은 하자르 인들의 민족주의를 구약말씀을 통해 위장하여 사단이 원하는 세계단일정부운동을 만들어 가는 자들이다.

대중적으로 널리 알려진 록펠러가, 로스차일드가, 모건가, 헨리 키신저 등은 스스로를 유대인이라고 주장하나, 이들은 세계를 사단의 정부로 만들려고 하는 '자칭 유대인이요, 실상은 사단의 회당'인 프리메이슨이다. 따라서 이방인이 이스라엘의 회복을 위해 기도하고 유대인과 이방인이 예수 그리스도 안에서 '하나의 형제'로 연합하는 이러한 때에, 우리는 유대인의 뿌리가 무엇인지 잘 분별하여 하나님 나라를 위해서 바르게 기도하는 지혜로움을 지녀야 할 것이다.

진정한 이스라엘의 회복

성경은 회복의 이야기이다. 하나님의 소원은 인간의 타락으로 말미암아 하나님과 깨어진 언약이 회복되어 온전케 되는 것이고, 이러한 하나님의 마음이 담겨진 책이 곧 성경이다. 그렇다면 사단의 주요 목적은 무엇인가. 이 하나님의 소원인 언약의 '회복'을 방해하는 것이 사단의 가장 큰 목표이다. 사단은 아무리 자신의 정체를 숨기고 활동을 하려해도, 그 악한 열매를 역사 속에 반드시 남기게 된다. 따라서 이러한 역사 속에 드러나는 사단의 열매들을 통해서 우리는 성경의 역사를 막으려고 방해하는 사단의 활동을 이해하게 되고 하나님이 진정으로 회복하기 원하시는 마음을 깨닫고 이 시대를 살아갈 '마지막 성도'로서의 교훈을 얻게 될 것이다.

성경을 보면 이스라엘이라는 나라는 세계의 시계가 될 역할을 부여받고 있다. 따라서 이스라엘의 상황을 보면 하나님의 시간표 안에서 역사가 어디까지 진행되었는지 확인할 수 있는 것이다.

종말에 대한 분명한 징후 중 하나는 세계의 눈이 이스라엘로 모아진다는 것이다. 그럼에도 불구하고 현대 교회는 '대체신학'이라는 사단의 성공적인 전략을 받아들임으로써 이스라엘에 대해 깊이 잠들어 있다. 따라서 마지막 때에 하나님이 원하시는 회복의 중심에 있는 이스라엘을 은폐하기 위하여 사단은 2000년 역사 동안 어떠한 일을 통해 교회 안에서 이스라엘을 제거해 버렸는지 살펴봐야 할 것이다.

아담이 잃어버린 모든 것을 예수 그리스도께서는 회복하길 원하신다. 그러나 21세기를 사는 우리들은 하나님 나라의 회복을 막으려는 강력한 사단과 전쟁 중에 있다.

예수는 그 자체가 사랑이다. 이 땅에서 가장 강력한 인권운동가는 바로 예수이다. 그럼에도 오늘날 사단은 세계평화와 인권이라는 거짓말로 거짓평화운동과 동성애의

대체신학
하나님의 언약 속의 "이스라엘"이 "교회"로 대체되어 원가지 이스라엘에 대한 모든 약속이 교회에 대한 약속으로 바꼈다고 주장하는 신학. 이 대체신학은 1948년 이스라엘이 건국하면서 치명적인 오류임이 밝혀짐.

합법화를 주장하고 있고, 제2의 바벨탑인 세계단일정부를 통해 예수 그리스도를 세상에서 몰아내려 하고 있다. 참으로 하나님의 회복을 가로막으려는 전략이다. 그렇다면 '하나님의 회복'이란 구체적으로 무엇인가. 예수께서 공생애 사역을 시작하시면서 처음으로 하시는 말씀이 이것이다.

> 회개하라 천국이 가까이 왔느니라　마태복음 4:17

이 모든 회복을 담고 있는 것이 바로 하나님 나라이다. 이 하나님 나라의 중심에 이스라엘이 있고 그 가운데에 예수님의 재림이 있다.

> 여호와께서 예루살렘을 세우시며 이스라엘의 흩어진 자들을 모으시며
> 시편 147:2

그러나 오늘날 교회 안에는 더 이상 하나님 나라와 관련된 메시지를 찾기 힘들다. 사단이 많은 교회로부터 하나님 나라에 관심을 갖지 않도록 시선을 유도하고 있는 것이다. 그저 이 시대의 교회에는 이 땅에서 어떻게 성공할 것인가에 대한 인본주의적 가치관이 풍성하게 전해지고 있는 실정이다. 또한 교회는 더이상 이스라엘에 대한 관심이 없다. 이는 대체신학이라는 거짓된 안경으로 1700년간 사단이 만들어낸 가장 성공적인 작품 중에 하나이다.

또한 안타깝게도 현대교회는 예수님의 재림에 관심이 없다. 그저 자녀의 성공과 나의 성공, 교회의 성장에 모든 자원과 시간이 집중되고 있다. 그러나 성경은 오직 하나님의 목적인 하나님 나라를 회복하기 위한 하나님의

설계도이며 하나님의 마음을 깨닫고 온 마음을 다해 순종한 사람들에 대한 기록이다. 그리고 21세기 지금, 모두가 자기 사랑에 빠져 예수께서 인자가 올 때에 믿음을 보겠느냐고 하셨던 그 마지막 때에 우리는 살고 있다.

하나님의 심장이 머문 이스라엘은 과연 무엇인가? 세계 역사상 유대인 만큼 기구한 운명을 살아온 민족은 없다. 조국을 잃어버리고 가는 곳마다 박해를 받으면서 2000년 동안 유랑생활을 했으나 멸망하지 않고 나라를 재건한 것은 너무나도 놀라운 일이다.

> 유대인이 존재하는 것 자체가 기적이다.
>
> _역사가 아놀드 토인비

유대인들이 국가를 재건하고자 1900년도 국가재건을 준비할 때 세계의 역사가들은 냉소적으로 비웃었다. 그도 그럴 것이 이스라엘을 재건하겠다는 근거는 2000년 전 자신들의 조상이 이 땅을 다스렸다는 것 뿐 이었다. 2000년 전이면 대한민국은 삼국시대로 거슬러 올라가는 시기이다. 그러나 성경은 마지막 때가 되면 이스라엘이라는 나라가 다시 같은 장소, 즉 고대 도시 예루살렘에서 일어나 부흥할 것이라고 기록하고 있다.

많은 성서학자들이 1948년 이스라엘이 세계사에 새롭게 등장할 때까지 하나님의 말씀을 인본주의적으로 해석하여 다음의 말씀을 이해할 수 없었다.

> 사람아, 이 뼈들이 바로 이스라엘 온 족속이다. 그들이 말하기를 '우리의 뼈가 말랐고, 우리의 희망도 사라졌으니, 우리는 망했다' 한다. 내

백성아, 내가 너희 무덤을 열고, 무덤 속에서 너희를 이끌어 내고, 너희를 이스라엘 땅으로 들어가게 하겠다. 내 백성아, 내가 너희의 무덤을 열고 그 무덤 속에서 너희를 이끌어 낼 그 때에야 비로소 너희는 내가 주인 줄 알 것이다. 새번역, 에스겔 37:11-13

내가 너희를 열국 중에서 취하여 내고 열방 중에서 모아 데리고 고토로 들어가서 개역한글, 에스겔 36:24

이스라엘 족속이 들어간 그 열국에서 더럽힌 내 거룩한 이름을 내가 아꼈노라 개역한글, 에스겔 36:21

1948년, 1900년간 잠들어 있던 이스라엘은 세계의 역사 앞에 다시 등장하였다. 이스라엘이 재건된 것이다. 이것은 종말의 날, 즉 하나님 나라가 도래되기 위한 대전제를 의미하며, 세상 임금인 사단의 종말을 향한 카운트 다운이 시작되었다는 것이다. 세계사는 이전과 전혀 다른 하나님의 거대한 계획 속에 하나님 나라로 넘어가는 강력한 변화의 시기로 접어들고 있다.

1948년 이전, 많은 신학자들은 어떻게 고대의 멸망한 도시가 재건될 수 있느냐고 반문하였지만 역사의 주관자는 하나님이시다. 그럼에도 불구하고 왜 현대교회는 이스라엘에 대하여 이토록 무관심하게 된 것일까. 그것은 바로 하나님 나라를 막아보려는 사단의 처절한 노력 때문이다. 원래 하나님의 계획은 이스라엘 민족과 이방민족이 예수 그리스도의 이름 안에 하나로 연합되어 하나님을 섬기는 것이다.

그는 우리의 화평이신지라 둘로 하나를 만드사 원수 된 것 곧 중간에 막힌 담을 자기 육체로 허시고 법조문으로 된 계명의 율법을 폐하셨으니 이는 이 둘로 자기 안에서 한 새 사람을 지어 화평하게 하시고 또 십자가로 이 둘을 한 몸으로 하나님과 화목하게 하려 하심이라 원수 된 것을 십자가로 소멸하시고 또 오셔서 먼 데 있는 너희에게 평안을 전하시고 가까운 데 있는 자들에게 평안을 전하셨으니 이는 그로 말미암아 우리 둘이 한 성령 안에서 아버지께 나아감을 얻게 하려 하심이라 에베소서 2:14-18

성경에 분명하게 하나님의 뜻이 기록되어 있음에도 대체신학은 이것을 간과한 것이다. 그렇다면 대체신학이란 무엇인가? 쉽게 설명하면 이것은 이스라엘이 예수님을 십자가에 못 박았기 때문에 영원히 하나님으로부터 버림받는 민족이 되었다는 신학적 논리이다. 따라서 구약의 축복의 말씀은 오늘날 대체신학 당시의 가톨릭 교회가 모두 위임받았으며, 저주는 그대로 이스라엘에게 남게 되었다는 것이다. 도대체 성경에 그러한 근거가 어디에 있는가. 그럼에도 불구하고 오랜 전통으로 내려오는 교부들에 의해 이 신학은 21세기 현대교회의 눈을 가리고 하나님의 뜻을 바르게 보지 못하도록 하는 사단의 성공적인 도구가 되었다.

이 대체신학으로 말미암아 하나님의 계획인 이스라엘과 이방교회의 연합은 2000년간 철저하게 무너졌으며 오히려 서로 원수의 관계가 되고 말았다. 그럼 대체신학의 뿌리는 과연 무엇인가?

예수님의 부활 이후 사단의 전략은 혼돈 그 자체였다. 초대교회를 핍박하여 몰살시키려는 계획은 초대교회의 급속한 부흥과 세상이 감당치 못할 믿음의 사람들을 창출하는 상황으로 발전되고 있었다. 호흡을 가다듬은 사단은 계획을 수정하여 교회를 끌어안을 것을 계획한다. 당시 로마시대 황실은 바사국(페르시아)에서 유래한 미트라교(태양신)에 심취해 있었다.

디오클레티아누스 황제 퇴위 후 로마제국은 혼란을 겪고 있었다. 정통파 황제를 자칭하며 로마시를 근거지로 삼고 있던 막센티우스와 황제자리를 놓고 다툼을 겪던 콘스탄티누스는 A.D.312년 로마의 황제로 등극하였다. 그는 원래 태양신을 숭배하였다. 그러나 불안한 정치적 입지를 확고히 하며 로마의 내부적인 종교갈등을 해소하기 위하여 기독교를 당시 미트라교와 합하여 정식으로 국교화 하는 작업을 하게 되었다. 그는 기독교 역사에 로마의 종교를 카톨릭으로 국교화하고 재정적인 지원으로 많은 교회를 세운 영웅으로 기록되고 있다. 그러나 문제는 교회 안에 핍박이 사라지면서 겉으로는 기독교가 로마의 국교로 선포되었지만 실상은 태양신 숭배문화와 접목되어 모든 사적인 예배와 가정예배가 금지되었다. 또한 당시의 태양신 숭배의 종교양식에 따라 교회를 화려한 건물로 대체하는 종교행위로 변질되었다. 초대교회 당시 교회란 건물을 뜻하는 것이 아니었다.

지역을 기준으로 해서 성도들이 정기적으로 가정집이나 유대교 회당에서 모이는 가족 공동체였고 서로 음식을 나누며 말씀을 토론하고 들으며 성령의 인도하심 속에서 기도하는, 성령의 임재를 경험하는 신령과 진정으로 드리는 예배였다. 그러나 로마에 의해 종교의식으로 변질된 카톨릭의 예배형식은 이교 예식에 따라 정형화되어 교회의 생명력은 급속도로 잃어가기 시작했다. 그러면서 시작된 사단의 또 다른 전략은 교회가 유대인을 핍박하여 기독교와 원수되게 하는 것이었다. 요한 크리소스톰을 포함한 초대교회의 교부들은 유대인들이 압제와 핍박을 받는 것은 예수님을 거부하고 십자가에 못박은 댓가라고 여겼다.

보라 세상 죄를 지고 가는 하나님의 어린양이로다 요한복음 1:29

그가 찔림은 우리의 허물을 인함이요 그가 상함은 우리의 죄악을 인

함이라 그가 징계를 받음으로 우리가 평화를 누리고 그가 채찍에 맞

음으로 우리가 나음을 입었도다 개역한글, 이사야 53:5

   그러나 성경은 예수님이 십자가에 달리신 것은 우리의 허물과 죄 때문이

라고 기록하고 있다. 사단은 당시 유행하던 헬라철학을 통해 계속 하나님의

계획을 방해 하였다. 2세기 말 클레멘트(Clement)[4]라는 교부는 헬라(그리스)인

으로 아테네에서 태어나 기독교로 전향한 인물이다. 그는 하나님이 유대인

들을 메시아(예수)께로 인도하기 위한 준비로 구약성경을 준 것처럼 헬라인들

에겐 헬라철학이 주어졌다고 가르쳤다. 이로써 자연스럽게 이방교회는 구약

성경보다도 헬라철학을 기반으로 한 신약성경을 보는 풍조가 생기게 되었다.

   초대교회의 사도들과 예루살렘 교회의 멤버들은 모두 유대인들이었다. 그

리스 출신의 이방교회 지도자들은 대부분 헬라철학의 깊은 영향을 받은 사

람들이었다. 그 때 이방교회 지도자들은 성경을 히브리적 배경 속에서 보는

안목이 부족했고, 오히려 플라톤의 이원론적 세계관으로 해석해 나가기 시

작했다. 물질세계는 악하며, 영적인 세계만이 선한 것이라는 이원론적인 플

라톤의 철학이 기독교에 들어오게 되었다. 성경은 우리로 하여금 세상으로

나아가 모든 족속으로 제자 삼으라고 명령했지만 플라톤의 철학에 물든 교

회는 수도원으로 들어가 세상의 빛과 소금의 역할을 스스로 거부하기 시작

했다. 하나님은 사람이 독처하는 것이 좋지 않다고 했지만 당시 교회는 수

도승이 되어 모든 육체적인 욕망은 악한 것이며 독신으로 살아가는 것이 좋다고 여기게 되었다. 성경은 진정한 믿음은 행함으로 증명된다고 하였지만 교회는 믿음이란 생각 속에서 교리적으로 믿는 것이라고 가르쳤다.

이러한 가르침은 오늘날 현대교회에 이르기까지 많은 영향을 미치고 있다. 더욱 심각한 것은 반유대적인 가르침이었다. 저스틴 마르터, 이그나티우스 장로, 터튤리안, 클레멘트, 오리겐 등 2~3세기 많은 교부들과 장로들은 하나님과 유대인 사이의 계약이 취소되었으며 이제 그 자리를 이방인들이 대신하고 있다고 가르치기 시작하였다.[5] 특히 오리겐은 이스라엘이 받는 심판과 저주에 대한 성경구절은 문자 그대로 적용하고, 이스라엘이 받을 축복들에 대한 성경구절들은 영적으로 교회에 적용시킨 인물로 유명하였다. 이러한 오리겐의 가르침에 심취했던 사람이 바로 콘스탄틴 황제의 친구이자 조언자였던 『교회사』의 저자 유세비우스였다. 즉, 콘스탄틴이 반유대적인 법령들을 공포한 것은 그가 유대인들을 싫어했기 때문만이 아니라 초대교회의 교부들의 잘못된 가르침이 있었기 때문이다.[6]

이 대체신학의 등장으로 교회는 성경에서 이스라엘을 보면서도 자연스럽게 이스라엘을 보지 않고 교회를 보게 되는 대체신학의 안경을 쓰게 되었다. 하나님의 접붙임 계획에 대한 사단의 공격이 큰 성공을 거두게 된 것이다.

A.D. 325년 니케아 공의회 이후 가이사랴의 주교이자 『교회사』를 저술한 것으로 유명한 교부 유세비우스는 이 대체신학을 더욱 공고히 하기 위하여 콘스탄틴이 주교들에게 법령을 선포하도록 했다. 그리고 유대인들이 가톨릭으로 개종하려면 유대인 신분을 숨기고 이방인이 되어야 했다. 이는 이방인과 이스라엘을 연합시키려는 하나님의 계획을 방해하는 사단의 치밀한 전략이었다. 이러한 방해전략은 A.D. 345년 안디옥 공의회, A.D. 365년 라오

디게아 공의회, A.D. 787년 프랑스 아그드공의회를 거쳐 교회사 안에 깊이 뿌리 내리게 되었다. 이러한 대체신학 교리는 기독교가 유대인들이 나라 없이 떠돌았던 장구한 세월동안 그들을 마음대로 학살하고 핍박할 수 있었던 토대를 마련해 주었다. 십자군들은 예수님의 이름을 찬송하면서 유대인들을 회당에 가두어두고 불을 질렀다. 또한 카톨릭교회는 수많은 종교재판을 통해 유대인들을 '개종이 아니면 죽음'으로 몰아세워 학살하였다.[7]

> "God hates you" 하나님은 너를 미워하신다.
>
> _4세기 교부 요한 크리소스톰의 설교 중 유대인들을 향한 언급

콘스탄틴 황제 이래 대체신학이 들어온 이후 1700년간 이러한 교부들의 가르침 속에서 교회라는 이름으로 학살되어온 유대인은 50년을 기점으로 반복되어져 왔다. 이것은 바로 이스라엘과 이방교회의 연합을 원천적으로 막으려는 사단의 치밀한 계획이었다.

그래서 오늘날 이스라엘의 유대인들에게 십자가는 더 이상 예수의 사랑이 아니라 자신들을 1700년 동안 철저하게 죽여 온 두려움과 분노의 칼로 받아들이게 된 것이다. 그러나 이것은 원래 하나님의 뜻이 아니라 사단이 교회와 신학을 통해 진행시킨 역사의 산물이다.

> 오늘날 유대인들에 대한 그릇된 성경의 가르침의 결과 600만 건 이상의 고의적인 살인이 일어났다. 이것은 궁극적으로 기독교인들의 책임이다.
>
> _제임스 패커(James Packer, 영국 복음주의 신학자)

A.D. 167년 유대인이 크리스천을 죽이려 한다는 거짓 소문으로 유대인을 학살하였다. A.D. 300년 유세비우스는 유대인이 기독교인의 자녀를 잡아 재물로 바친다는 거짓 소문으로 핍박하였다. A.D. 367년 세인트 힐러리는 "유대인은 하나님께 저주받은 백성이다."라고 했다. 또한 요한 크리소스톰은 "유대인은 결코 속죄함을 받을 수 없다. 유대인은 반드시 증오의 대상이며 그리스도인은 유대인을 증오해야 한다."고 했다.

A.D. 430년 어거스틴은 유대인의 진정한 의미를 가룟 유다로 선포했다. 또한 그는 유대인이 영원토록 죄책감에 시달리고 저주를 받아야 할 대상이며 유대인은 기독교인의 유익을 위해 노예 신분으로 전락해야 한다고 주장했다. 이러한 사회적, 신학적 배경 위에 십자군 전쟁이 일어났고, 이로써 온 유럽과 중동에 있는 유대인들이 대량으로 학살당하였다. 군인들은 예루살렘에 도착하여 회당에 모인 유대인을 불태웠다. 이런 식으로 독일과 프랑스의 유대인들 중 4분의 1이 학살되었고 예루살렘에서 2만 명이 죽었다.

13세기 말, 독일과 오스트리아에서 린트플라이쉬라는 가톨릭의 상류층 인사는 하나님의 뜻을 받았다면서 유대인을 학살하기 시작하여 140여 개의 유대인 공동체를 파괴시켰고 10만여 명의 유대인들을 학살하였다. 중세 유럽의 종교재판시기에 '개종 아니면 죽음'이라는 구호 아래 수백만의 유대인이 희생당했고 흑사병이 돌던 시기에는 교회는 유대인이 우물에 독극물을 탔다는 루머를 퍼뜨려서 프랑스에서 1만 명, 독일 바이에른에서 1,200명, 에르푸르트 100여 명, 웜즈에서 420명, 마인츠에서 6,000명, 브레슬라우에서 4,000명, 스페인 세비아에서 1만 명, 톨레도에서 8,000명 이렇게 학살은 계속 되었다. 이 모든 것은 가톨릭이 대체신학을 통해 하나님의 계획을 방해하기 위해 행한 뚜렷한 역사적 증거이다.

이렇게 사단이 만들어 놓은 대체신학이 우리의 눈을 가리면 성경을 보면서도 하나님의 계획을 보지 못하게 되는 것이다. 나치가 독일을 점령했을 때 마틴 루터의 말을 인용하여 다음과 같이 말했다. "나는 오늘 창조자 하나님의 뜻을 쫓아 행하고 있다. 유대인을 심판함으로 하나님의 일을 위해 싸우고 있다."

이렇듯 2000년이 넘는 동안 유대인은 십자가의 이름으로 핍박을 받아왔던 것이다. 이것이 유대인과 이방인을 화목케 하려는 하나님의 계획을 철저하게 막으려는 사단의 오랜 노력의 결과이다. 그래서 마치 우리나라 사람들이 일제시대에 민족을 버리고 친일파가 된 자들에 대하여 국민적 분노가 있듯이, 예수님을 알고 기독교로 개종한 유대인들에 대해 기존 유대인들은 심한 국민적 분노를 품는 것이다. 그래서 이스라엘의 회복을 외치기 전에 '화해와 용서'가 먼저 있은 후에 충분한 설명이 있어야 한다. 그러나 사단의 이러한 방해에도 불구하고 성경의 말씀대로 오늘날 역사의 오해가 풀어지고 이스라엘과 이방교회가 서로 화해하고 용서하며 마지막 때를 향한 온전한 연합이 이루어지고 있다.

형제가 연합하여 동거함이 어찌 그리 선하고 아름다운고 시편 133:1

이방교회와 이스라엘의 연합을 위한 하나님의 마음을 로마서는 잘 기록하고 있다.

가지 얼마가 꺾이었는데 돌감람나무인 네가 그들 중에 접붙임이 되어참감람나무 뿌리의 진액을 함께 받는 자가 되었은즉 그 가지들을 향

하여 자랑하지 말라 자랑할지라도 네가 뿌리를 보전하는 것이 아니

요 뿌리가 너를 보전하는 것이니라 로마서 11:17-18

여기서 참감람나무는 이스라엘이며, 돌감람나무는 이방인 성도들을 뜻
한다. 이 감람나무 접붙임의 비유는 당시의 풍습을 반영한 것이기도 하다.
참감람나무란 사람 손에 의해 길러지는 양질의 나무를 뜻하고, 돌감람나무
란 야생 감람나무를 말한다. 그래서 보통 야생의 돌감람나무의 열매를 회
복시키기 위해 참감람나무 가지를 접붙인다. 그러나 바울은 거꾸로 이야기
했다. 참감람나무에 돌감람나무 가지를 접붙인다고 했다. 이것은 당시 이스
라엘의 예외적인 관습으로, 잘 자라던 참감람나무가 어느 때에 열매를 잘
맺지 못하게 되면 오히려 돌감람나무에 접붙이는 것이다. 그러면 참감람나
무도 다시 소생하게 되고 돌감람나무 가지도 역시 원래 참감람나무 뿌리의
진액을 통해 좋은 열매를 맺는 가지로 변화되는 일석이조의 효과를 내는 것
이다. 바울은 바로 그러한 쌍방회복을 그려보고 있었던 것이다.[8]

이스라엘의 허물이 세상의 부요함이 되고, 이스라엘의 실패가 이방 사
람의 부요함이 되었다면, 이스라엘 전체가 바로 설 때에는, 그 복이 얼
마나 더 엄청나겠습니까? 새번역, 로마서 11:12

하나님께서 그들을 버리심이 세상과의 화해를 이루는 것이라면, 그들
을 받아들이심은 죽은 사람들 가운데서 살아나는 삶을 주심이 아니
고 무엇이겠습니까? 새번역, 로마서 11:15

여기서 바울은 이스라엘의 넘어짐이 이방사람들에게 복이 되었다면, 이스라엘의 바로 설 그 때에는 얼마나 더 엄청난 일이 일어나겠느냐고 묻고 있다. 그것이 부활의 때, 즉 주님의 재림의 때이며 마지막 때가 될 것임을 기록하고 있는 것이다.

> 두려워 말라 내가 너와 함께하여 네 자손을 동방에서부터 오게 하며
> 서방에서부터 너를 모을 것이며 내가 북쪽에게 이르기를 내놓으라 남
> 쪽에게 이르기를 가두어 두지 말라 내 아들들을 먼 곳에서 이끌며
> 내 딸들을 땅 끝에서 오게하며   이사야 43:5-6

이 말씀이 19세기 말 알리야 운동으로 태동하기 시작하여, 이스라엘 나라는 1948년 극적으로 다시 세워지고, 1967년에는 예루살렘 영토도 회복되었다. 모든 세계의 역사는 하나님의 말씀을 완성하기 위해 흘러가고 있는 것이다. 하나님의 깊은 소원은 이스라엘의 넘어짐으로 인해 복음이 '온 유대와 사마리아와 땅 끝까지' 전파되는

> **알리야 운동**
> 1948년 5월 이스라엘 재건 이후 1980년에 본격적으로 시작된 유대인의 본국귀환운동을 일명 알리야 운동이라 함.

것과 다시 그 복음이 하나님의 심장이 머문 곳, 이스라엘로 돌아와서 원래 가지인 '이스라엘'에 '이방교회'가지가 접붙임 되어 하나로 연합된 몸으로 하나님을 예배하는 것에 있다. 하나님은 이 온전한 회복을 계획하시며 이와 같이 역사를 운행하고 계신 것이다.

> 하나님이 자기 백성을 버리셨느냐 그럴 수 없느니라 나도 이스라엘인
> 이요 아브라함의 씨에서 난 자요 베냐민 지파라   로마서 11:1

기록된 바 하나님이 오늘까지 그들에게 혼미한 심령과 보지 못할 눈과 듣지 못할 귀를 주셨다 함과 같으니라 로마서 11:8

또한 이 세대는 로마서 11장의 말씀이 성취되고 있다.

그들의 넘어짐이 세상의 풍성함이 되며 그들의 실패가 이방인의 풍성함이 되거든 하물며 그들의 충만함이리요 로마서 11:12

그들은 믿지 않음으로 꺾여졌고 여러분은 믿음으로 접붙여졌으니 교만하지 말고 두려워하십시오. 하나님께서 원 가지인 유대인들도 아끼지 아니하셨다면 여러분도 아끼지 않으실 것입니다 현대인의 성경, 로마서 11:20-21

형제들아 너희가 스스로 지혜 있다 하면서 이 신비를 너희가 모르기를 내가 원하지 아니하노니 이 신비는 이방인의 충만한 수가 들어오기까지 이스라엘의 더러는 우둔하게 된 것이라 로마서 11:25

성경의 이 모든 말씀들이 성취되고 완성되어 온전한 회복을 위한 심판이 다가오고 있는 것이다. 1967년 6월 이스라엘은 다윗과 골리앗의 싸움에서 아랍 국가들을 이기고 예루살렘을 함락시켰다. 즉, 1967년 6월 예루살렘이 지리적, 정치적으로 회복되었다. 예루살렘의 지리적 회복은 이제 영적인 회복으로 이어지고 있다. 에스겔과 예레미아가 예언했듯이 예루살렘에 살던 유대인들이 비로소 예수를 메시아로 인정하고 받아들이게 되며 그들

에게 성령이 임하는 역사가 사단의 수많은 방해에도 불구하고 말씀대로 성
취되고 있는 것이다.

> 곧 많은 이방 사람들이 가며 이르기를 오라 우리가 여호와의 산에 올
> 라가서 야곱의 하나님의 전에 이르자 그가 그의 도를 가지고 우리에
> 게 가르치실 것이니라 우리가 그의 길로 행하리라 하리니 이는 율법
> 이 시온에서부터 나올 것이요 여호와의 말씀이 예루살렘에서부터 나
> 올 것임이라 미가 4:2

　왜 이토록 하나님의 계획에서 이스라엘이 중요한 곳인가? 그 이유는 이스
라엘은 하나님의 눈이 항상 머무는 곳이기 때문이다. 그리고 하나님은 그
이스라엘을 통하여 하나님 나라를 완성하시겠다고 약속하셨다.

> 너희가 건너가서 차지할 땅은 산과 골짜기가 있어서 하늘에서 내리는
> 비를 흡수하는 땅이요 네 하나님 여호와께서 돌보아 주시는 땅이라
> 연초부터 연말까지 네 하나님 여호와의 눈이 항상 그 위에 있느니라
> 신명기 11:11-12

> 여호와께서 시온을 택하시고 자기 거처를 삼고자 하여 이르시기를 이
> 는 내가 영원히 쉴 곳이라 내가 여기 거주할 것은 이를 원하였음이로다
> 시편 132:13-14

> 또 내가 보매 거룩한 성 새 예루살렘이 하나님께로부터 하늘에서 내
> 려오니 그 준비한 것이 신부가 남편을 위하여 단장한 것 같더라 내가

들으니 보좌에서 큰 음성이 나서 이르되 보라 하나님의 장막이 사람
들과 함께 있으매 하나님이 그들과 함께 계시리니 그들은 하나님의 백
성이 되고 하나님은 친히 그들과 함께 계셔서 요한계시록 21:2-3

이스라엘에 대한 회복의 말씀이 이토록 정확하게 이뤄지는 것을 보면서
우리는 깨달아야 한다. 약속을 세우시고 그 언약을 신실하게 성취하시는 분
이 하나님인 것과 우리가 살고 있는 지금이 하나님의 '회복의 시간표'에서 끝
자락인, 성경에서 말하는 마지막 때임을 알아야 하는 것이다.
    하나님은 회복의 하나님이시다. 그리고 그 회복의 방법에는 원리가 있다.
바로 하나님은 사람을 통해 그 회복을 이루기 원하시는 것이다. 아담에서
셋 자손, 노아, 아브라함, 야곱, 이스라엘, 이방민족, 다시 이스라엘과 열방의
연합으로 이어지기까지 하나님은 한 사람 아브라함을 택하셔서 하나님 나
라의 회복을 위한 거대한 설계도를 말씀하고 계신 것이다.

이제 후로는 네 이름을 아브람이라 하지 않고 아브라함이라 하리니 이
는 내가 너를 여러 민족의 아버지가 되게 함이니라 창세기 17:5

네 씨로 말미암아 천하 만민이 복을 받으리니 창세기 22:18

하나님은 한 사람인 아브라함을 선택하셔서 이스라엘을 택하시고 열방을
회복하길 원하신다. 모든 복음은 이스라엘에서 출발하여 땅 끝 이스라엘로
다시 돌아올 것이고, 그때서야 세상은 끝이 나게 된다. 따라서 오늘날 이스
라엘의 회복은 만류를 회복하시기 위한 하나님 나라의 계획이 성취되기 직

전에 왔음을 말하고 있는 것이며, 이는 동시에 예수 그리스도의 재림이 다가오고 있음을 말하는 것이다.

인류 역사에 하나의 나라가 2000년간 없어졌다가 하루아침에 생기는 일이 있을 수 있는가? 그러나 이스라엘은 1948년 5월 18일 인류 역사상 전무후무하게 하루 만에 재건된 나라가 되었다. 그러나 더욱 소름 끼칠 정도로 놀라운 것은 성경이 이것을 예언하고 있다는 것이다.

> 시온은 진통을 하기 전에 해산하며 고통을 당하기 전에 남아를 낳았
> 으니 이러한 일을 들은 자가 누구이며 이러한 일을 본 자가 누구이
> 냐 나라가 어찌 하루에 생기겠으며 민족이 어찌 한순간에 태어나겠
> 느냐 그러나 시온(이스라엘)은 진통하는 즉시 그 아들을 순산하였도다
>
> 이사야 66:7-8

하나님의 말씀으로 이스라엘은 하루 만에 회복되었다. 육적인 회복이 이루어진 것이다. 그리고 이제 영적인 회복이 이루어지고 있다. 이스라엘의 회복과 이방교회의 회복은 하나님 나라의 회복의 전략 중 핵심이다. 따라서 우리가 환란과 심판을 넘어 다가오는 하나님 나라를 소망하고 주의 오실 길을 예비한다면, 이스라엘의 회복을 간절하게 바라 봐야 한다.

1897년 스위스 바젤에서 국제 시온주의 회의가 열렸다. 유대인들이 본토로 돌아가자는 회의를 진행하던 그 때, 교회에서는 1901년 1월부터 성령의 부으심의 역사가 일어났다. 토피카 켄사스에서 찰스팔 목사님이 사도행전을 읽고 성령을 받아 방언을 말하기 시작한 것이다. 그때부터 성령이 부어지기

시작하여 윌리엄 시모가 아주사 부흥의 역사를 보게 되었다. 또한 한국은 1907년 평양대부흥을 경험하게 되었다. 이스라엘의 회복의 태동과 함께 시작된 성령의 역사는 오순절 부흥 이후 시작된 것이다.

흥미롭게도 1948년 이스라엘의 회복과 함께 '동방의 땅 끝'에서 하나님의 역사를 이룰 대한민국도 1948년 태동되었다. 마지막 시대 하나님 나라의 완성에 대한 바톤이 우리 민족 가운데 주어진 것이다. 우리는 이토록 놀라운 하나님의 계획이 이 땅 위에 성취되는 것을 목격함으로써, 이 마지막 때에 하나님의 선하심을 신뢰하며 하나님 나라를 준비할 수 있는 것이다.

> 그러므로 내가 말하노니 저희가 넘어지기까지 실족하였느뇨 그럴 수 없느니라 저희의 넘어짐으로 구원이 이방인에게 이르러 이스라엘로 시기나게 함이니라 저희의 넘어짐이 세상의 부요함이 되며 저희의 실패가 이방인의 부요함이 되거든 하물며 저희의 충만함이리요 개역한글, 로마서 11:11-12

잃어버린 유산을 찾아서

바울이 말했던 것처럼 과거 유대인들의 눈은 수건으로 가리워져 있어 대다수의 유대인들은 예수께서 그들의 메시아라는 진실을 받아들이지 못하고 있었다. 그러나 1967년 이후 하나님은 유대인들에게 새 일을 행하고 계신다. 2011년 현재 예수 그리스도를 메시아로 믿는 17,000명의 메시아닉 교회가 이스라엘 곳곳에 세워지고 있다. 그들은 성령을 경험하고 있으며 방언으로 기도하며 마지막 때를 준비하고 있다. 하나님께서는 기적적인 일을 하고 계시는 중이다. 그것은 2천 년 동안 잃어버렸던 하나님 나라의 가장 놀라운 회복이 진행되고 있는 것이다.

예루살렘은 지금 우리가 살고 있는 이 시대에 하나님의 마지막 역사를 이루어 가고 있다. 결국 우리가 믿는 하나님 나라의 복음은 예루살렘에서 시작하였다. 예수 그리스도의 보혈로 죄사함을 얻게 하는 회개가 예루살렘에서 시작하여 모든 족속에게 전파될 것이다. 성경에 기록되어 있듯이 하나님 나라의 복음이 예루살렘을 시작으로 열두 제자들을 통하여 소아시아와 로마를 거쳐 유럽을 점령하고 북미대륙에서 아시아를 거쳐 이제 아시아에서 다시 예루살렘으로 돌아가고 있다. 이것이 무엇을 의미하고 있는가? 이는 만물의 마지막이 가까워졌고 예수께서 재림하실 날이 정말 얼마 남지 않았다는 것이다.

그 가운데 우리는 하나님의 계획이 이 땅 가운데 성취되도록 하는 증인의 삶이라는 시대적 부름 앞에 살아가고 있다. 하나님은 오늘날 현실 세계의 잠들어 있는 많은 교회를 흔들고 계신다. 우리는 예수를 더 이상 우리의 소원을 이루기 위한 도구로 여겨서는 안되며 그 마음을 회개해야 한다. 하나님은 교회의 본 목적을 잃어버리고 세상의 빛과 소금의 역할을 스스로 놓아버린 교회에 다시금 전쟁을 준비시키고 계시다. 이는 다가오는 적그리스도의 통치하에 강력한 대결을 준비하고 있는 것이며, 이미 승리하신 전쟁에서 허다한 역사의 증인들을 찾고 있는 것이다.

회개는 우리를 변화시켜 그리스도의 본 마음을 품게 한다. 따라서 우리는 회개를 통해 사고방식을 바꾸고, 하나님이 이 땅 위에 나타내기 원하는 아버지의 마음을 깨달아야 한다. 한편 우리가 주목해야 할 하나님의 마음이 있다. 그것은 이스라엘과 유대인들은 기독교적 유산에 가장 핵심적인 중요한 위치에 있다는 것이다. 우리는 사도행전의 1세기 교회가 모두 유대인들로 구성되었다는 사실을 잊어서는 안된다.

> 그는 우리의 화평이신지라 둘로 하나를 만드사 원수 된 것 곧 중간
> 에 막힌 담을 자기 육체로 허시고 자기 안에 한 새 사람을 지어 화
> 평하게 하시고 이 둘을 한 몸으로 하나님과 화목하게 하려 하심이라
>
> 에베소서 2:14-16

사단은 궁극적으로 교회가 이 비전을 깨닫는 것을 가장 싫어한다. 사단은 이스라엘을 증오한다. 그리고 히브리계 진짜 유대인들을 증오한다. 이들이 역사의 언약을 이룰 반쪽을 갖고 있기 때문이다. 그리고 사단은 이방교회로 하여금 나머지 반쪽의 역할을 감당치 못하게 노력하고 있다.

그럼에도 우리는 이 땅 위에서 하나님의 구원 목적을 이어받으려는, 이기며 남는 자의 정신으로 살아가야 하는 것이다. 이제 '마지막 교회'의 초점은 사단의 거짓 평화 정책과 반유대주의 정서, 대체신학의 거짓 비늘이 벗겨져 하나님의 궁극적인 목적인 하늘의 뜻이 땅에 이루어지는 것에 자원을 집중해야 한다. 그리고 그 과정에서 진정한 유대인과 이방교회의 연합을 위하여 날마다 기도로 준비해야 한다.

교회는 그리스도의 신부이다. 날마다 이스라엘에서 들려오는 소식이 무엇인가? 오늘날 이스라엘의 메시아닉 교회가 도시마다 세워지고 있고 그곳에서 모일 때 마다 주님의 재림을 사모하는 심령들이 예배하고 있으며, 그 속도가 점점 빨라지고 있다는 소식이 전해지고 있다. 선교단체들은 2020년

이 채 되기 전에 모든 민족에게 복음이 전해질 것이라고 보고하고 있다. 머지않아 온 이스라엘에 예수 그리스도가 전해지는 가운데 마지막 대 부흥과 대 환란이 같이 일어날 것이다. 하나님께서 이 모든 일들을 전 세계에 걸쳐 진행하고 있는 것이다.

깨어나야 한다. 회복이란, 약속의 말씀을 붙들고 내 자신부터 말씀으로 회복하며 이스라엘의 회복과 하나님 나라의 도래, 즉 다시 오실 주님을 맞이하기 위하여 단장하는 것이다.

우리가 대체신학이란 눈꺼풀을 걷어내고 성경을 보기 시작한다면 하나님 교회의 회복이 현재 어떻게 이루어지고 있는지를 볼 수 있게 된다. 유대인이 절반을, 이방교회가 절반을 갖고 있는 이 비밀이 합쳐지면 하나님이 꿈꾸시던 처소인 하나님 나라가 임하는 것이다.

이스라엘과 이방인의 회복 가운데 또 하나의 함정

유대인과 이방인의 연합에 있어 이방교회가 이스라엘에 관심을 갖게 되면서 또 하나의 함정에 빠지는 경우가 있다. 바로 유대교의 율법주의와 구약적 유대절기, 구약적 제사예식이 다시금 일어나고 있다는 점이다. 즉, 이방교회가 유대교의 제사의식과 절기에 지나친 관심을 갖는다는 것이다. 그러나 구약의 제사는 예수 그리스도가 오실 것에 대한 모형이었다. 그리고 예수 그리스도가 오셔서 십자가에서 하나님 아버지와 우리를 화목케 하는 새롭고 산 길을 열어 주신 것이다. 우리는 바로 이 예수 그리스도 안에서 그 분의 이름으로 연합되어야 함에도 불구하고, 이방교회의 이스라엘에 대한 관심이 예수 그리스도의 회복의 초점에서 벗어나 유대교의 절기와 의식, 예법에까지 관심을 갖는 함정에 빠지고 있는 것이다. 그러나 이러한 일들에 대하여 예수 그리스도는 성경을 통하여 분명하게 교훈을 주고 있다.

> 율법은 장차 올 좋은 일의 그림자일 뿐이요 참 형상이 아니므로 해마다 늘 드리는 같은 제사로는 나아오는 자들을 언제나 온전하게 할 수 없느니라 히브리서 10:1

> 우리 조상들은 이 산에서 예배하였는데 당신들의 말은 예배할 곳이 예루살렘에 있다 하더이다 예수께서 이르시되 여자여 내 말을 믿으라 이 산에서도 말고 예루살렘에서도 말고 너희가 아버지께 예배할 때가 이르리라 너희는 알지 못하는 것을 예배하고 우리는 아는 것을 예배하노니 이는 구원이 유대인에게서 남이라 아버지께 참되게 예배하는 자들은 영과 진리로 예배할 때가 오나니 곧 이 때라 아버지께서는 자기에게 이렇게 예배하는 자들을 찾으시느니라 하나님은 영이시니 예배하는 자가 영과 진리로 예배할지니라 요한복음 4:20-24

예수 그리스도는 우리의 예배의 핵심은 이 산에서도 말고 예루살렘에서도 말고 영과 진리로 예배하라고 정확하게 말씀하셨다. 따라서 마지막 때가 되어 교회가 영과 진리로 예배드리는 참된 예배를 회복하고 이방교회와 이스라엘이 예수 그리스도 안에서 연합되는 것이 회복의 본질임을 기억하고 접근하여야 할 것이다.

제 2 장

성도의 회복

다시 십자가 복음 앞에
지성소의 삶과 다윗의 장막

다시 십자가 복음 앞에

앞 장에서는 대체신학이 하나님 나라를 방해하기 위하여 성경 안에서 어떻게 이스라엘을 보지 못하도록 하였으며, 그로 인하여 얼마나 많은 사람들이 잘못된 가르침을 받아 십자가의 이름으로 하나님의 뜻을 거역했는지 살펴보았다. 또한 사단의 이러한 노력에도 불구하고, 하나님의 말씀이 오늘날까지 살아서 교회 안에 이스라엘에 대한 거짓 비늘을 벗기고 하나님 나라의 계획을 어떻게 이뤄가고 있는지 살펴보았다.

사단은 교회 안에도 올무를 놓았다. 바로 성도들이 마음 편히 타락할수 있는 길을 만들어 주는 것이다. 우리가 성령강림절로 알고 있는 오순절은 모세가 시내산에서 십계명을 받은 날과 같다. 그 날에 성령께서 제자들과 성도들에게 임한 것은 결국 우리의 마음판에 율법을 새겨 말씀을 완성하기 위한 하나님의 거대한 계획이었다.

> 또 내 영을 너희 속에 두어 너희로 내 율례를 행하게 하리니 너희가
> 내 규례를 지켜 행할지라 에스겔 36:27

이러한 성령의 역사는 온 교회가 거룩함으로 구별됨으로 이어질 것이고, 성령충만을 받아 거룩함을 이뤄가는 삶은 궁극적으로 다시 오실 예수님을 기다리며 등불에 기름을 예비하는 일이 될 것이다. '성도의 거룩'과 '이스라엘의 회복'은 하나님 나라가 완성되는데 가장 핵심적인 두 기둥인 것이다. 이 두 가지의 회복이 마지막 성도가 감당해야 할 사명인 것이다. 그러나 사단은 치밀하게 이 하나님 나라의 완성을 방해하고 있다.

버가모 교회의 사자에게 편지하라 좌우에 날선 검을 가지신 이가 이
르시되 네가 어디에 사는 것을 내가 아노니 거기는 사탄의 권좌가 있
는 데라 네가 내 이름을 굳게 잡아서 내 충성된 증인 인디바가 너희
가운데 곧 사탄이 거하는 곳에서 죽임을 당할 때에도 나를 믿는 믿
음을 저버리지 아니하였도다 그러나 네게 두어 가지 책망할 것이 있
나니 거기 네게 발람의 교훈을 지키는 자들이 있도다 발람이 발락을
가르쳐 이스라엘 앞에 걸림돌을 놓아 우상의 제물을 먹게 하였고 또
행음하게 하였느니라 이와 같이 네게도 니골라 당의 교훈을 지키는
자들이 있도다 요한계시록 2:12-15

위 말씀에는 버가모 지역을 사탄의 권좌가 있던 곳이라고 기록하고 있다.
버가모 지역은 거대한 제우스 신전이 있었던 곳이다. 그런데 세월이 흘러 독
일의 칼 휴만이란 사람이 신전을 발굴하고, 1930년에 신전을 통째로 독일
베를린으로 옮겨와 페르가몬 박물관을 만든다.

▌페르가몬 박물관

그 후 독일의 수상은 히틀러가 되었고 그가 유대인을 학살할 때 '우생학'
이란 학문을 언급하게 된다. 이 우생학을 최초로 주장한 사람은 헬라철학
의 기둥인 플라톤이다.

일급 우량민을 만들기 위해서는 가장 뛰어난 남녀를 부부로 많이 짝지어주
고 가장 열등한 자들끼리의 혼인을 막아야 한다.

_플라톤의 『공화국』

그런데 이 플라톤의 사상에 영향을 받아 만들어진 신학이 초대교회의 무
율법주의의 가르침을 만들어낸 '니골라 당'의 가르침인 것이다. 니골라 당의
가르침의 따르는 자들의 내용을 다음과 같이 요약할 수 있다.

1. 구약은 율법의 시대, 신약은 은혜의 시대이다. 따라서 율법은 더 이상
   지킬 필요가 없다.
2. 육신은 악이요, 영만이 선하므로 육신으로는 무슨 일을 하든 관계없다.
3. 그리스도인은 은혜로 보호를 받기 때문에 어느 곳에 가서 무엇을
   행하든 해받음이 없다.

그러나 성경은 분명 다음과 같이 기록하고 있다.

내가 율법이나 예언자들의 말을 폐하러 온 줄로 생각하지 말아라. 폐
하러 온 것이 아니라, 완성하러왔다. 새번역, 마태복음 5:17

또한 사도 바울은 다음과 같이 말하였다.

> 육신을 따라 살지 않고 성령을 따라 사는 우리가 율법이 요구하는 바
> 가 이루게 하시려는 것입니다 새번역, 로마서 8:4

니골라 당의 가르침은 거룩함과 죄악 사이의 기준인 하나님의 법을 가리고 십자가의 은혜를 헛되게 가르쳐 오늘날 교회 안에 온갖 물질주의와 성장주의, 다툼과 분열, 음란함이 가득하게 하여 불법을 행하는 자들이 가득하도록 만들었다. 이것이 죄악임에도 죄악인줄 깨닫지 못하게 하고 회개를 가로막아 사람들로 하여금 죄악의 자유이용권을 마음껏 사용하도록 하고 있다. 그러나 사도 바울이 말했듯이 성령을 따라 산다는 것은, 율법이 요구하는 바를 온전히 완성하는 삶이다.

우리는 성경을 기준으로 마지막 때를 준비해야 하는 것이지 전통과 신학으로 준비하는 것이 아니다. 그럼 왜 우리가 이러한 교리를 진리로 믿게 되었는지 그 신학의 형성과정을 통해 진실을 확인해 보도록 하겠다.

초대 교회 헬라(그리스)철학의 영향을 통해 플라톤의 이원론이 유대인과 이방민족을 갈라놓는 대체신학을 만들었다고 앞 장에서 언급하였다. 이 헬라철학의 영향을 받은 '말시온'은 『반대명제』라는 책을 저술하였는데, 그 책에서 구약은 율법의 하나님, 신약은 은혜의 하나님으로 구분하였다. '이두 가지 신'의 개념을 정립한 말시온은 흑해의 남쪽 해안에 위치한 폰투스(Pontus)[9]출신으로 A.D. 138년경 상당한 부를 소유한 채로 로마에 왔다. 로마에서 말시온 사상은 구약의 유대인의 신(Malign God of the Jews)과 신약의 선한 신(Good Ultimate Father)으로 구분했다. 이러한 개념은 '구약은 율법의 시대',

'신약은 은혜의 시대'로 구분하기 위하여 강조되었고 이로 인하여 구약을 완전히 거부하는 가르침이 전해지게 되었다. 말시온은 영지주의와 전통 초대교회를 합쳐서 자신의 교회를 설립하였고, 유대인 적대주의와 이원론적 성경관으로 기독교 전체에 파괴적인 영향을 미쳤다. 폴리캅주교는 이러한 말시온의 이단성을 강조하며 말시온을 사단의 맏아들이라고 비판하였다. 이러한 헬레니즘적 성경 해석은 콘스탄틴 황제의 가까운 친구이자 조언자였던, 유세비우스에 의해 『교회사』로 집필되었다. 그런데 놀랍게도 4세기 어거스틴(Augustin)이 이 말시온의 영향을 받아 기독교에 중요한 분기점을 만들게 되었다. 어거스틴은 기독교로 회심하기전 마니교도로 10여 년을 보내게 되는데 마니교도로서 타가스테, 카르타고, 로마, 밀라노 등에서 수사학과 철학을 배우며 신플라톤주의를 배우게 된다. 그는 이러한 헬레니즘적 기반 위에 기독교로 개종하여 기독교 역사에 많은 영향을 미치게 된다.

그의 긍정적인 기독교 유산에도 불구하고 말시온의 관점에서의 성경에 대한 접근은 교회로 하여금 지속적으로 구약적 하나님과 신약적 하나님이란 이중적 잣대로 성경을 바라보게 하는 계기가 되었다. 중세부터 이어져온 은혜론을 둘러싼 신학적 논쟁에 어거스틴의 가르침은 많은 영향을 미치게 되고 이러한 가르침은 종교개혁자 루터, 존 칼빈(Jean Calvin)에 이르기까지 영향을 미치게 되었다. 프랑스의 종교개혁자인 존 칼빈은 그의 저서 『기독교 강론』을 통해 율법과 은혜가 상반되는 것이라고 주장함으로써 이 책은 개신교의 개혁주의의 지침이 되었다. 그리고 오늘날 교회는 율법에 대하여 왜곡된 견해를 갖게 된 것이다.

그러나 우리는 항상 성경을 통해 하나님의 말씀을 확인해야 한다. 그리고 우리 안에 잘못된 것이 있다면 언제나 성경으로 다시 돌아가야 한다. 다가

오는 시대를 준비하기 위해서는 하나님의 말씀 앞에 성결함으로 새롭게 되어야 한다. 예수 그리스도의 산상수훈 중 마태복음 5장 17절~18절을 보면 율법이 은혜로 대체되었다는 교리는 잘못된 것임을 알 수 있다.

> 내가 율법이나 선지서를 폐기하러 온 줄로 생각하지 말라. 폐기하러 온 것이 아니라 이루려고 왔노라 진실로 내가 너희에게 말하노니, 하늘과 땅이 없어지기 전에는 율법의 일점일획도 모든 것이 이루어질 때까지 결코 없어지지 아니하리라 마태복음 5:17-18

> 내가 너희에게 이르노니, 너희 의가 서기관과 바리새인보다 더 낫지 못하면 결단코 천국에 들어가지 못하리라 개역한글, 마태복음 5:20

위의 내용은 교리가 아니라 예수 그리스도께서 하신 말씀이다. 예수께서는 결단코 모두 천국에 들어갈 수 없다고 하셨는데, 교리는 모두가 천국에 들어갈 수 있다고 한다면 이것은 서로 모순이 되는 것이다.

> 나는 사랑이나 자비나 은혜를 설교하기 전에 반드시 죄와 율법과 심판을 이야기한다.
>
> _감리교 창시자 요한 웨슬레

그러나 교회에서는 지금 그와는 정반대로 성장과 물질적 축복과 은혜를 더 강조하고 있다. 미국의 대각성운동을 일으켰던 찰스피니 목사는 다음과 같이 설교하였다.

언제나 항상 율법이 복음을 위한 길을 준비해야 한다. 언제나 복음을 제시하기 전에 율법을 먼저 알아야 한다. 우리가 이것을 쉽게 넘어가면 사람들은 거짓된 소망에 빠지게 된다. 거짓된 표준을 제시하게 될 것이고 교회 안에는 거짓된 회심자들로 가득 차게 될 것이다.

_찰스피니

그럼에도 우리는 구약은 율법시대, 신약은 은혜시대라고 이해하고 있다. 그 결과 잘못된 은혜 아래서 육신의 정욕을 좇아 멋대로 살더라도 천국에 갈 수 있다는 거짓된 회심자들로 가득 차게 된 것이다.

요한계시록을 보면 생명책에 이름이 흐려지는 사람이 있다고 기록하고 있다. 이것은 하나님의 말씀에 순종하지 않아서 그 이름이 흐려지는 사람이 있다는 것이다. 많은 사람들이 교회에 다니면 모두가 천국에 가는 것으로 착각하고 있다. 그것은 교리이지 말씀이 아니다.

자신이 어떻게 살든 관계없이 천국에 갈 것이라 착각하며 종교 생활을 하고 있는 것이다. 마귀는 우리를 속여서 지옥으로 끌고 가려고 지금도 역사하고 있다. 따라서 우리가 이러한 잘못된 교리의 안경을 끼고 성경을 읽을 경우 내 마음에 맞지 않는 말씀이 나오면 자동으로 도외시하게 되는 것이다. 설교를 준비할 때도 내 교리와 맞는 말씀만 찾아서 설교하게 된다. 이렇게 위험한 종교 생활이 교회 안에서 싹트고 있다.

주님의 말씀에 순종하지 않으면 결단코 천국에 갈 수 없다는 말씀과 거룩이 없이는 나를 볼 수 없다고 하신 말씀들은 자동으로 뛰어넘게 되는 것이다. 하지만 하나님은 진리의 말씀대로 우리를 심판하신다. 우리는 거짓된 교리에 속아 참된 하나님을 만나지 못하게 하는 미혹에 넘어가서는 안 된다. 정말 예수님을 만나면 삶이 변하게 된다. 죄를 이기게 된다. 우리 모두는 마지막 때에 진리이신 예수님을 만나야 한다.

말씀대로 살기 위해서는 율법을 바르게 이해해야 한다. 구약성경은 39권으로 이루어져 있다. 모세오경과 나머지는 그대로 살았는지에 대한 기록과 율법대로 돌아오라는 선지서들로 이루어져 있다. 신약은 이 구약의 모든 말씀이 육신이 되어 오신 예수께서 율법을 완성하심을 나타낸 것이다. 그래서 구약과 신약은 하나의 성경이다. 그러나 이 하나의 온전한 성경을 '말시온'은 헬레니즘의 사상으로 2개로 나눈 것이다.

우리는 '율법'이란 단어를 생각할 때 부정적 인식이 많다. 이 단어에서 구속하는 느낌을 받는 이유는 원어적 의미가 신학적 역사에 의해 왜곡된 경우가 많기 때문이다. A.D. 50년쯤 구약성경이 헬라어로 번역되었다. 이 때 70인 역이 있었는데 오늘날의 성경은 여기서 번역되었다. 원래 '토라'는 화살을 쏘다, 가르치다, 훈계하다는 뜻을 갖고 있다. 히브리어의 토라를 헬라어의 노모스라는 단어로 번역했다. 이 토라라는 단어는 여러 의미를 갖고 있다. 문제는 70인 역을 신약성경으로 옮기는 작업에서 모든 토라를 노모스 즉, '율법'(Law)으로 번역하였던 것이다. 그래서 실제 토라라 갖고 있는 다양한 의미와 율법(노모스)이 갖고 있는 지엽적 의미로 인해 성경 해석상에 차이가 발생하게 된 것이다.

토라란 단어 안에는 율법주의라는 뜻이 담겨져 있는데 우리는 율법주의와 율법을 바르게 구분하여 성경을 해석해야 한다. 성경에서는 이 모든 단어가 하나의 '율법'이란 의미로만 번역되었기 때문에 성경을 읽다보면 오해가 생기는 것이다.

당시 유대인들의 뜰에는 이방인이 출입할 수 없도록 담이 있었다. 그 출입구 위에는 유대인의 전통적인 법인 "누구든지 유대인 외에 이곳을 출입할 수 없다. 죽고자 하는 자는 이곳을 지나가라."는 전통법이 있었다. 그래서 유대인과 이방인들 사이에는 서로 원수가 되어 있었다.

예수께서는 바로 이 유대인의 전통 악법을 폐하시고 유대인과 이방인이 예수 그리스도 안에서 한 새사람이 되어 하나님을 예배할 것을 말하고 있는 것이다. 그런데 성경의 번역과정에서 토라와 노모스와 율법을 구별하지 않고 "의문에 속한 계명의 율법"이라고 번역되어 마치 예수님이 토라를 폐하신 것처럼 왜곡된 해석을 하게 되는 것이다. 그래서 우리가 이것을 구분하지 않고 신약 성경을 보다보면 로마서, 갈라디아서, 고린도서에서 언급되는 율법에 대하여 이렇게 저렇게 다양한 해석을 갖게 되는 것이다.

오늘날 성경에서의 번역은 율법과 율법주의를 하나의 율법(Law)으로 번역함으로 토라에 대해 인식을 잘못 해석하는 결과를 낳았고 이것이 바로 구약과 신약을 분리시켜 결국 하나님의 나라의 회복에 방해가 되는 말시온의 성경인식의 오류가 되었다. 바울서신을 읽다보면 율법이 부정적으로 느껴지는 말씀들을 보게 된다.

여기에서의 율법은 율법주의를 말하고 있는 것이다. 즉, 이 말씀에서는 하나님이 마음의 중심을 보시는데 우리가 온전히 성령 안에 거하게 되면 외적인 행동, 외식하게 하는 율법주의 아래 있지 않다는 것을 설명하고 있는 것이다. 결코 하나님의 구약 말씀인 '토라'를 무시하는 내용이 아닌 것이다.

오늘날 교회 안에는 율법을 깨닫는 은혜를 너무 잊었다. 복음에 감격하기 위해 필수적으로 율법이 있어야 한다.

_姑 옥한흠목사

그래서 예수님을 믿는 성도에게는 율법이 반드시 필요하다. 우리는 율법 앞에 서본 적이 없다. 우리가 얼마나 큰 죄인이라는 것을 깨달은 적이 없고 십자가에 달려가지 못해서 은혜를 은혜로 알지 못하는 것이다. 십자가 앞에 서기 위해 우리는 율법 앞에 적나라하게 서야 한다. 그때서야 비로소 하나님의 은혜가 얼마나 큰지 알고, 더 이상 죄를 짓는 것이 아니라 마음에 새겨진 율법을 가지고 성령을 쫓아 하나님이 기뻐하시는 일에 마음을 다해 순종하는 자가 되는 것이다.

우리는 언제나 우리 어리석음 때문에 '상호 보완적'인 것을 '대조적'인 것으로 여기는 경향이 있다. 진짜 하나님의 은혜를 받은 증거는 의로운 삶을 사는 것이다. 믿음과 행함에 관한 오래된 논쟁에서 성경은 진정한 믿음은 행함으로 그 믿음이 증명된다고 기록하고 있다.

허탄한 사람아 행함이 없는 믿음이 헛것인 줄을 알고자 하느냐 우리 조상 아브라함이 그 아들 이삭을 제단에 바칠 때에 행함으로 의롭다

하심을 받은 것이 아니냐 네가 보거니와 믿음이 그의 행함과 함께 일

하고 행함으로 믿음이 온전하게 되었느니라 야고보서 2:20-22

이와 같이 행함이 없는 믿음은 그 자체가 죽은 것이라 야고보서 2:17

영혼 없는 몸이 죽은 것 같이 행함이 없는 믿음은 죽은 것이니라

야고보서 2:26

사도 바울은 고린도 교인을 향해 미혹, 음란, 간음, 탐색, 남색하는 자는 하나님 나라를 유업으로 받지 못하리라고 했다.

나더러 주여 주여 하는 자마다 다 천국에 들어갈 것이 아니요 다만 하

늘에 계신 내 아버지의 뜻대로 행하는 자라야 들어가리라 마태복음 7:21

예수께서는 주여 주여 부른다고 천국에 가는 것이 아니라고 말씀하셨다. 내 삶 속에 믿음의 증거가 없음에도 불구하고 여전히 죄악 가운데 있으면서 내가 은혜아래 거한다고 생각하여 회개하지 않는 삶은 조심스러운 일이다. 예수 그리스도 안에서 하나님의 은혜를 받는다는 것은 갈보리언덕 십자가에서 흘리신 보혈로써 나의 죄가 사함 받고 내가 새 생명과 새로운 성품으로 변화되었다는 것이다. 즉, 그리스도가 내 안에 형성되어 내가 하나님의 성품에 참여하게 되어 옛것이 지나가고 새 것이 되었다는 것을 의미한다. 이것이 그리스도와 하나님의 성령이 내 안에 계시는 삶이다.

내가 그리스도와 함께 십자가에 못 박혔나니 그런즉 이제는 내가 사
는 것이 아니요 오직 내 안에 그리스도께서 사시는 것이라 이제 내가
육체 가운데 사는 것은 나를 사랑하사 나를 위하여 자기 자신을 버
리신 하나님의 아들을 믿는 믿음 안에서 사는 것이라 갈라디아서 2:20

우리는 이제 무너진 삶을 회복해야 한다. 사단은 우리가 교회를 다니면
서도 삶을 타락하게 만들었다. 그래서 경건의 모양은 있으나 경건의 능력
은 잃어버렸으며 소금의 맛을 잃어버린 교회가 되어 버렸다. 그러나 마지막
시대에 하나님 나라를 소망하는 마지막 성도는 이 잃어버린 소금이 맛을
내는 삶이 되어 믿음의 증거가 나타나는 진짜 그리스도인이 되어야 한다.

오직 성령의 열매는 사랑과 희락과 화평과 오래 참음과 자비와 양선과
충성과 온유와 절제니 이같은 것을 금지할 법이 없느니라 그리스도 예
수의 사람들은 육체와 함께 그 정욕과 탐심을 십자가에 못 박았느니라
만일 우리가 성령으로 살면 또한 성령으로 행할지니 갈라디아서 5:22-25

지성소의 삶과 다윗의 장막

오늘날 많은 성도들은 십자가의 죄사함의 은혜는 충분히 인식하고 있는 것
같다. 그러나 계속 십자가 앞에 머물며 세상에 나가 다시금 죄를 짓고 또 다
시 십자가 앞에 나와 회개하며 반복적으로 죄의 문제만 해결하는 신앙 패
턴의 삶을 살아가는 경우가 많다. 하지만 예수 그리스도께서 십자가에 달

리신 것은 단순히 우리의 죄를 사하여 주는 것 뿐만 아니라 우리로 하여금 믿음의 담력을 얻어 바로 하나님 아버지가 계신 지성소에 거할 수 있는 생명의 길을 열어 주신 것이다. 따라서 구약의 지성소는 오늘날 우리가 나아가야 할 신앙의 푯대를 제시하고 있다는 점에서 신앙인의 성숙의 과정으로써 깊이 있는 이해가 필요한 부분이다.

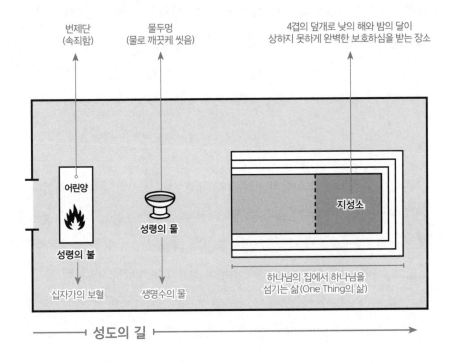

우리가 죄인으로 살아가다 십자가의 도를 깨닫고 성화의 과정으로 나아갈 때 반드시 구약의 어린양을 제물로 삼아 피를 흘린 번제단과 같이 예수의 십자가 보혈을 통과하여야 한다. 그런데 구약의 당시 많은 사람들은 양

과 비둘기를 속제물로 드리고 다시금 세상으로 나가 죄를 짓고 절기가 되면 양과 비둘기로 속제함을 받는 일을 반복하였다. 구약의 번제단은 예수 그리스도가 십자가에서 우리의 죄를 대신하여 피 흘릴 그림자였다. 그리고 예수 그리스도가 십자가에서 피흘림으로 새로운 길이 열리게 되었다. 많은 성도들은 구약의 백성들과 같이 계속 십자가 앞에 머무는 삶을 살아간다. 그러나 십자가 앞에서 죄사함을 경험하고 거룩하다 칭함을 받고 나면 우리는 다시금 세상으로 돌아갈 것이 아니라 믿음의 담력을 얻어 아버지가 계신 지성소를 향하여 믿음의 걸음을 걸어 나가야 한다.

> 그러므로 형제들아 우리가 예수의 피를 힘입어 성소에 들어갈 담력을
> 얻었나니 히브리서 10:19

십자가를 통하여 죄사함의 이신칭의(의롭다 칭함을 받음)의 은혜를 경험하고 난 후 십자가에서 자아의 죽음을 경험하는 과정에서 우리는 성령의 불세례를 받는다. 불세례는 죄사함을 얻는 과정과 죄를 소멸시키는 역사를 한다. 그리고 우리는 지성소로 나아가기 위하여 물두멍을 지나야 한다. 이 물두멍은 당시 제사장들이 번제단에서 제사를 지내며 묻은 피를 깨끗한 물로 씻는 과정이다. 왜냐하면 피를 묻히고 지성소로 들어갈 수 없기 때문이다. 바로 이 물두멍에서 깨끗한 물로 씻는 과정이 우리의 삶 가운데 반드시 있어야 신앙이 성숙해 진다.

> 예수께서 대답하여 이르시되 진실로 진실로 네게 이르로니 사람이 거
> 듭나지 아니하면 하나님의 나라를 볼 수 없느니라 니고데모가 이르

되 사람이 늙으면 어떻게 날 수 있사옵나이까 두 번째 모태에 들어갔
다가 날 수 있사옵나이까 예수께서 대답하시되 진실로 진실로 네게
이르노니 사람이 물과 성령으로 나지 아니하면 하나님의 나라에 들
어갈 수 없느니라 요한복음 3:3-5

내가 주는 물을 마시는 자는 영원히 목마르지 아니하리니 내가 주
는 물은 그 속에서 영생하도록 솟아나는 샘물이 되리라 요한복음 4:14

우리는 십자가 앞에서 보혈의 은혜를 경험하고 반드시 물두멍에서 손과
발을 씻으며 예수 그리스도가 말씀하신 생명수의 강을 경험하여야 한다. 이
것은 바로 성령의 물세례인 것이다.

나를 믿는 자는 성경에 이름과 같이 그 배에서 생수의 강이 흘러나오
리라 하시니 요한복음 7:38

우리는 십자가에서 불세례를 통해 죄사함의 은혜를 경험하고 단지 그 자
리에 머무는 삶이 아닌, 물두멍 앞에서 물세례를 통해 영혼을 장성케 하는
삶을 살아야 한다. 영혼을 장성하게 하는 것은 날마다 영의 양식으로 진리
의 성령을 통해 영혼이 성장하는 것이다. 이러한 과정 가운데 성령의 생명
수의 강을 경험하고, 실제로 삶이 변화되며 영혼이 강건하게 되는 신앙의
성장의 과정을 지나가야 하는 것이다. 그 때에 비로소 지성소에 들어가 예
수 그리스도가 찢어 놓으신 휘장을 통과하여 하나님 아버지가 계신 거룩한
곳에 믿음의 담력을 갖고 들어가는 것이다. 그리고 그 곳에서 다윗이 경험

한 아버지의 놀라운 사랑을 경험해야 한다.

성도의 참 된 삶이란 번제단에서 죄와 씨름하며 머무는 신앙이 아니라 죄를 이기고 물두멍을 통과하여 지성소에서 주님과 동행하는 것이며, 이것이 진정한 성도의 축복인 것이다. 이러한 삶이 주님과 동행하는 삶이고 성도의 옳은 행실이다. 또한 의와 진리로 거룩하게 하는 자의 삶이다. 신부는 정결하고 순결해야 한다. 자기를 지켜서 세속에 물들지 않게 하고 세마포를 날마다 흐르는 생명수의 강에서 깨끗하게 씻어 신랑을 맞이할 준비를 하는 삶이다. 바로 하나님 아버지가 계신 그 지성소는 다윗이 경험한 신앙의 삶이었다.

> 내가 여호와께 바라는 한 가지 일 그것을 구하리니 곧 내가 내 평생에 여호와의 집에 살면서 여호와의 아름다움을 바라보며 그의 성전에서 사모하는 그것이라 시편 27:4

이것이 바로 지성소에 거하며 하나님과 동행하는 마지막 성도의 삶인 것이다. 마지막 성도는 지성소에 거하며 수정같이 맑은 생명수가 나를 적시고 흘러 넘쳐 열방으로 흘려보내는 삶을 사는 자다.

> 맑은 물을 너희에게 뿌려서 너희로 정결하게 하되 곧 너희 모든 더러운 것에서와 모든 우상숭배에서 너희를 정결하게 할 것이며 또 새 영을 너희 속에 두고 새 마음을 너희에게 주되 너희 육신에서 굳은 마음을 제거하고 부드러운 마음을 줄 것이며 에스겔 36:25-26

그가 내게 이르시되 이 물이 동쪽으로 향하여 흘러 아라바(사해를 포
함한 들녘과 사막)로 내려가서 바다에 이르리니 이 흘러 내리는 물로 그
바다의 물이 되살아나리라 에스겔 47:8

그리고 이 성령의 생명수의 강이 온 지면과 바다를 덮는 회복이 말씀 안에
서 시작되는 것이다.

나의 거룩한 산 모든 곳에서 해됨도 없고 상함도 없을 것이니 이는 물
이 바다를 덮음 같이 여호와를 아는 지식이 세상에 충만할 것임이니라
이사야 11:9

보라 내가 새 일을 행하리니 이제 나타낼 것이라 너희가 그것을 알지
못하겠느냐 정녕히 내가 광야에서 길과 사막에 강물을 내리니 장차 들
짐승 곧 시랑과 타조도 나를 존경할 것은 내가 광야에 물을, 사막에
강들을 내어 내 백성, 내가 택한 자로 마시게 할 것임이라 이 백성은 내
가 나를 위하여 지었나니 나를 찬송하게 하려함이니라 이사야 43:19-21

지극히 작은 나 한 사람부터 성령의 임재가 일상이 되어서 생수의 강을
흘려 보낸다면, 사막 같은 인생을 살아가는 한 영혼, 한 영혼에게 하늘의 신
령한 물을 마시게 할 수 있으며 주님과 동행하는 마지막 성도가 되는 것이
다. 그리고 그 생수의 강이 온 열방에 흘러 바다를 덮을 때 이 땅은 하나님
나라를 경험하게 될 것이다.

제 3 장
하나님 나라의 군대

다니엘 세대의 부르심
화목케 하는 세대의 부르심
통일한국과 아나톨레의 길
마지막 주자의 삶

21세기 이제 교회의 이해와 개념은 많은 변화를 갖게 될 것이다. 교회는 더 이상 화려한 건물과 일주일에 한 번 모이는 회당이 아니라 교회는 집이고 도시이며, 군대이고 신부가 될 것이다. 인간은 죄성의 DNA를 쫓아 자기 삶의 주인이 되어 본질상 사단의 종으로 살아간다. 그래서 사단은 그 죄성의 DNA를 예측하여 하나님 나라를 방해할 계획을 세우지만 우리의 자아가 십자가 앞에 죽음을 경험하고 나는 죽고 예수 그리스도가 내 심령 가운데 부활을 경험할 때 사단의 예측 프로그램은 중대한 오류가 나타나기 시작하는 것이다. 바로 세상이 감당치 못할 성령의 사람들이 일어나는 것이다. 하나님은 예측 가능한 방향이 아닌 역설적인 방법들을 통해 많은 일들을 진행하신다. 즉, 하나님은 마지막 시대에 세상적으로 강력한 리더를 찾고 있는 것이 아니다. 오히려 주님은 연약하고 어리석고 멸시받는 사람, 다른 이들에게 따돌림 받는 사람들을 찾고 계신다. 그 가운데 심령이 가난해져 하나님 나라를 소망하는 자를 찾고 계신 것이다. 하나님이 행하시는 모든 일은 그분의 영광과 위엄을 드러내 보이시는 것이다.[10]

그러할 때 그들 안에 주님은 능력으로 함께 해주신다. 주님이 우리에게 능력을 주시려고 오시는 것이 아니다. 주님은 우리가 연약함 가운데서 주님과 관계를 주고 받을 때 우리에게 힘이 되어 주시려고 오신 것이다. 하나님은 우리와의 관계 안에서 행하시는 모든 일에 목적을 갖고 계신다. 주님을 향한 우리의 의존성의 극대화는 이 시대 주님이 가장 원하시는 목적이다.[11]

오늘날 주님은 우리를 부르셔서 불가능한 일을 하게 하신다. 주님은 우리에게 눈에 보이지 않는 것을 보도록 요구하신다. 주님은 우리를 들어 압도될 것 같은 상황 속으로 던져 넣으신다. 이 일은 오늘날 가장 잔인하고 압제적인 체제에 속한 북한의 백성들을 구원해내야 하는 임무일 수도 있다. 모세도 이런 일을 감당했다. 혹은 아주 거대한 배 한 척을 만들어야 하는 상황일 수도 있다. 배를 띄울 물조차 보이지 않는 상황에서 말이다. 그런 다음 그 배 안에 온갖 종류의 생물을 들여보내어 살게 해야 할 수도 있다. 노아는 이 일을 위해 120년을 믿음으로 감당했다. 마지막 시대 하나님 나라를 준비하기 위해 온 열방에서 수만의 헌신된 자녀들이 모여들었다고 가정해보자. 그런데 하나님께서는 우리의 군대를 처음 1퍼센트 정도로까지 감축시키신다면, 그래도 당신은 쾌활한 표정으로 서 있을 수 있을까? 기드온은 그래야만 했다.[12]

하나님은 이 시대 온전히 자기의 경험과 오감에서 느껴지는 취약성과 불안감을 버리고 하나님을 향한 의존성 극대화를 통해 나의 약함이 강함 되게 하는 역사를 감당할 믿음의 용사들을 찾고 계신다. 하나님은 주님의 백성 중에서 이러한 촉매제가 될 사람을 찾고 계신다. 결단력을 가지고 주님 앞에 들어갈 자와 하나님의 위엄을 발견하며 보고, 듣고, 느끼는 것을 다 내려놓고 오직 하나님의 말씀에 100퍼센트 의존성을 드러낼 믿음의 사람을 찾고 계신다.

사람들은 흙으로 만들어진 겉모양 만을 쳐다본다. 그러나 하나님은 이 모든 현상의 이면을 관찰하고 계신다. 그리고 우리 안에 내재된 완전한 하나님의 형상을 회복 시키고 계신다.

하나님은 더 이상 우리의 소원을 들어주시려고 임하시는 것이 아니다. 주님은 우리의 신랑이 되시려는 갈망을 실현시키려고 임하신다.[13] 우리는 성령님에 의해 하나님이 거하시는 처소가 되어야 한다. 하나님의 형상과 조화를 이룰 왕의 군대들이 일어나야 한다. 주님은 겸손한 자에게 은혜를 베푸신다. 은혜란 깨어짐과 겸손이라는 용광로에서 흘러나오는 하나님의 역설적 능력의 임재를 의미한다.[14] 그래서 우리는 필사적으로 우리의 심령이 성령님이 머무시는 처소가 되기 위하여 일상생활 가운데 경건을 훈련해야 한다. 수많은 미디어는 생각의 통로이다. 우리가 하나님의 말씀으로 무장되지 않은 채 세상의 생각들이 우리의 마음을 지배하기 시작한다면, 우리는 더 이상 믿음을 성장 시킬 수 없다. 그래서 지금 당장 모든 미디어를 끊고 하나님 앞에 기도의 자리로 들어가야 하는 것이다. 수많은 수련회와 부흥회를 다녀와도 재미있는 드라마 한 편이면 우리의 심령 가운데 성령의 임재가 사라짐을 우리는 경험을 통해 알고 있다. 그래서 경건의 훈련을 위해 미디어를 절제해야 한다.

이 시대의 훌륭한 리더쉽은 사람들이 각자의 삶 속에서 성령의 열매를 풀어놓으며, 예수님의 군대로 다시 훈련되도록 끊임없이 격려하는 자들이다. 그들은 교회가 전쟁을 준비할 수 있도록 체제의 변화를 민감하게 받아들이고 유연하게 전투태세를 준비하는 리더들이다.

많은 사람들은 숫자의 거짓말에 속아 하나님이 원하시는 '리더쉽'(Leadership)과 '관리'(Management)의 차이를 구별하지 못하지만 이제 우리는 이 시대를 향한 하나님의 요구가 무엇인지 분명히 깨달아야 하는 지혜가 필요하다. 관리자는 다만 현재 소유한 것들을 유지할 따름이다. 그러나 이러한 구조는 교회가 전쟁터에 참여하기에 적합하지 않은 구조로 지어져 있다. 이제 교회는 호화 유람선이 아닌 전쟁에 능숙한 군함으로 다가올 폭풍우에 대비해야 한다. 이 모든 것은 바로 기도와 말씀의 본질이 교회 안에 회복되어지며 강력하게 이루어질 것이다.

하나님은 마지막 시대의 강력한 전쟁을 감당할 믿음의 용사들을 불러내기 위해 전 세계의 교회를 '기도의 집'(House of Prayer) 체제로 바꾸어 나가고 계신다. 그 거룩한 변화의 바람은 결국 세상이 감당치 못 할 하나님 나라의 강력한 용사들로 무장시켜 어둠이 감당치 못할 거룩한 빛의 신부들이 즐거이 나오게 될 것이다.

세상은 주님과 함께 모험하는 자들에 의해 변한다. 우리는 주님을 믿고 주님의 손을 잡아 모험의 강에 뛰어 들어야 한다. 주님은 지금 이 세대에 엄청난 성령의 권능을 풀어주고 계신다. 예수께서는 이 세대를 향하여 다음과 같이 말씀 하셨다. "나를 믿는 자는 내가 하는 일을 할 것이요 나보다 더 큰 일도 할 것이다. 이는 내가 세상에 있지 않고 아버지께 있기 때문이다."

하나님의 나라는 말에 있지 않고 능력에 있다. 우리는 전 세계에 일어날 강력한 부흥을 위해 성령과 동행하며 날마다 죽어가는 영혼을 구원해야 한다. 이 위대한 부르심에 나아가기 위하여 우리는 영적인 성장에 도전해야 한다.

우리는 이제 자신이 주인 되어 살아가는 삶을 회개하고 내 신을 벗어야 한다. 하나님이 귀하게 쓰는 사람들은 다 자기 신발을 벗은 자들이다. 내 꿈, 내 소망을 주님 앞에 내려놓고 하나님 나라를 위해 삶의 목적이 바뀔 때, 모세는 이집트에서 신음하던 히브리 백성을 자유케하는 하나님의 종이 되었다. 우리도 그렇게 북한과 열방 가운데 성령의 진리로 사단의 묶임에서 풀어주는 위대한 부르심을 받아 나아가야 한다.

지금 기도하는 여러 세대들에게 하나님께서는 하나님 나라를 회복할 퍼즐 조각들을 나눠주고 계신다. 많은 자들이 이 퍼즐을 받고 이것이 무엇인지 몰라 당황하고 있지만, 믿음으로 순종하며 용감하게 걸어 나가는 자들을 통해 온 세계는 하나님 나라로 회복될 전략적인 진동이 계속 일어나고 있다. 전 세계적인 추수를 위한 하나님의 새로운 전략이 가동되기 시작했다. 하나님의 새로운 전략이 말세를 살아가는 우리의 마음속으로 들어오고 있는 시대인 것이다.[15] 2012년, 확실히 주님은 온 세계 교회에 새 일을 하고 계신다. 기도하며 그 퍼즐을 들고 일하는 자들은 알고 있다. 이 새로운 계절, 흑암이 칠흑같이 어두울 때 하나님의 크신 영광이 얼마나 찬란하게 빛날지 우리는 꿈을 꾸며 기도하며, 일어나야 한다.

우리는 당장 일어나야 한다. 그리고 왕의 군대로 바로 준비되어야 한다. 그리고 열방 가운데 하나님 나라의 그물을 펼쳐야 한다. 엄청난 추수의 계절을 준비해야 하기 때문이다. 우리가 이 모든 일을 믿음으로 감당 할 수 있는 것은 주님의 사랑은 실패하지(Unfailing Love)않기 때문이다.

다니엘 세대의 부르심

우리는 하나님의 시간표 안에서 자신의 삶을 조정하며, 자신의 꿈을 위해 살기보다 하나님께서 그 인생 가운데 계획하신 꿈을 이루어 드리는 인생이 되기 위해 기도해야 한다. 오늘날 10~30대 가운데 하나님의 강력한 부흥의 군대가 일어날 것이다. 이 시기는 하나님의 확실한 비전과 때를 알고 자신을 겸비하는 은혜가 없으면 세상이 던져주는 고민 가운데 그 인생이 함몰되는 비참한 시대이다.

다니엘은 그러한 어두움 가운데 하나님의 빛으로 나간 믿음의 선배이다.

그는 보이지 않는 것을 보이는 것으로 세상에 실제화한 믿음의 소유자였다. 그는 믿음의 순종을 함으로써 가장 강력한 원수의 목전에서 주님께 영광 돌리는 찬란한 믿음의 부활을 경험한다.

세계는 시작과 끝이 있고 정확한 하나님의 시간표에 따라 움직인다. 가보지 않은 새 길을 갈 때 하나님에 대한 확실한 신뢰가 없다면 앞길을 갈 수 없다. 그래서 우리는 하나님 앞에 모든 나의 주권을 드리는 결단을 드려야 한다. 이러한 '뉴시즌'을 넉넉히 감당하기 위해서는 하나님 앞에 성결함으로 새롭게 되어야 한다. 성경은 전통을 지키는 것이 아니라 진리를 붙드는 것이다. 성경은 종교를 원하는 것이 아니라 생명을 붙드는 것이다. 성경을 통해 날마다 말씀 안에서 성장해야 하는 것이며, 십자가에서 자아의 완전한 죽음을 경험 할 때야 비로소 부활을 경험 할 수 있다. 죽어야 산다.

그렇게 부활을 경험할 때 주님의 지성소 안에서 누리는 참된 평안의 삶을 경험 할 수 있다. 보이는 것으로 판단하지 않고 믿는 것을 느끼는 어떠한 상황에서도 하나님을 신뢰하는 자기부인의 극대화, 성령 하나님의 완전한 통치함을 경험하는 것이다.

다시 원점으로 돌아가야 한다. 십자가의 뜨거운 보혈이 흐르는 복음의 원점으로 돌아가야 한다. 진짜 복음이 나의 삶을 변화시키는 그 십자가를 경험해야 한다. 복음이 나를 변화 시킬 수 없고 죄악을 마음껏 짓는 자유이용권이 되어버린 그 십자가가, 이제는 죄를 죽기까지 이기고 나를 변화시키는 살아있는 십자가로 우리의 심장에 새겨져야 한다. 진짜 복음, 진짜 십자가는 '생명'이 있다. 그리고 반드시 살아서 그 인생을 변화시킨다.

마지막 시대에 우리는 다니엘의 강력한 믿음과 여호수아의 전투적인 새 영을 받아 온 열방 가운데 주의 길을 예비하는 삶을 살아가야 하며, 그 부

홍의 중심에서 우리의 심장이 주님과 함께 뛰어야 한다.

방주는 비가 올 때 준비하는 것이 아니라 지금 준비하는 것이다. 따라서 지금은 마지막 때를 살아갈 영적 실력을 갖추어야 한다. 어떠한 환경이 와도 예수를 바라볼 수 있는 그 안목의 시력을 갖추어야 한다. 슬기로운 처녀가 등불을 준비한다. 하나님 앞에 나아가기 위해 자신의 질 그릇이 깨어져야 한다. 그 때 성령이 새롭게 빚어 가신다.

지금은 급격하게 성령이 역사하는 시기이다. 이 거대한 성령의 파도를 타려면 믿음의 담력이 필요하다. 파도가 지나고 나면 파도를 탈 수 없다. 고난이 오면 불평하지 말고 이기는 삶을 준비해야 한다. 고난이 올 때 말씀이 그 인생 가운데 살아서 역사하는 것을 경험하여 우리는 환난의 때에도 주님을 보며 기뻐 할 수 있는 생명의 빛을 볼 수 있어야 한다. 우리가 사방에 욱여싸임을 당하고 어려운 일을 당해도 답답치 않음은 내 안에 절대적인 예수 그리스도를 향한 믿음이 어떠한 환경이 변화에도 반응하지 않기 때문이다. 우리는 내 안의 성령을 통해 스스로 환경을 디자인 해야하며, 그 원동력은 내 안에 내주하시는 성령님이시다. 그래서 내가 죽을수록 주님은 그만큼 더 역사하신다. 그래서 우리는 죽기 위해 기도해야 한다. 그리고 완전한 죽음 가운데 강력한 부활을 경험할 것이다. 바로 이 때, 우리는 성령님과 완벽하게 호흡하는 왕의 군대로 일어날 것이다.

주의 말씀은 내 발의 등이요 내 길에 빛이니이다 시편 119:105

우리가 사방으로 우겨쌈을 당하여도 싸이지 아니하며 답답한 일을
당하여도 낙심하지 아니하며 박해를 받아도 버린 바 되지 아니하며

거꾸러뜨림을 당하여도 망하지 아니하고 우리가 항상 예수의 죽음을
몸에 짊어짐은 예수의 생명이 또한 우리 몸에 나타나게 하려 함이라

고린도후서 4:8-10

우리의 겉사람은 낡아지나 우리의 속사람은 날로 새로워지도다 우리
가 잠시 받는 환란의 경한 것이 지극히 크고 영원한 영광의 중한 것을
우리에게 이루게 함이니 우리가 주목하는 것은 보이는 것이 아니요 보
이지 않는 것이니 보이는 것은 잠깐이요 보이지 않는 것은 영원함이라

고린도후서 4:16-18

화목케 하는 세대의 부르심

2010년 첫권 『마지막 신호』를 출간하고 일본으로 단기선교를 떠나게 되었다.
일본 땅을 밟기 전까지 나는 일본을 그다지 좋아하지 않았다. 오히려 마음
깊은 곳에서부터 미움이 있었다. 그래서 한일전 스포츠 경기가 있을 때 유
난히 우리나라 팀이 이겨주길 바라는 마음이 있었다.

그런데 일본 땅을 밟고부터 마음의 변화가 시작 되었다. 그곳에 첫 발을
내딛었을 때, 내가 볼 수 있었던 것은 십자가 없이 황무지와 같은 일본 땅
이었다. 분명 일본은 한국보다 복음이 일찍 들어갔음에도 불구하고 교회는
거의 없었던 것이다.

그리고 성령님이 마음 가운데 감동을 주셨다. 이 일본 민족을 다시 돌이
키는 열쇠를 한국 교회에게 주셨다는 믿음이다. 그런데 한국은 우리 민족에

게 큰 아픔을 준 일본을 용서하지 않고 있었다. 그러나 용서는 피해를 입은 자가 먼저 다가가 손을 내미는 것이다.

그리고 그 용서의 열쇠가 한민족 가운데 있는 것이다. 그리고 우리가 일본 땅을 향하여 예수님의 마음으로 용서의 손을 내밀 때 그 민족 가운데 하나님께서 계획하신 놀라운 회복의 역사가 시작되는 것이다.

나는 너희에게 이르노니 너희 원수를 사랑하며 너희를 박해하는 자를 위하여 기도하라 마태복음 5:44

내 사랑하는 자들아 너희가 친히 원수를 갚지 말고 하나님의 진노하심에 맡기라 기록되었으되 원수 갚는 것이 내게 있으니 내가 갚으리라고 주께서 말씀하시니라 네 원수가 주리거든 먹이고 목마르거든 마시게 하라 그리함으로 네가 숯불을 그 머리에 쌓아 놓으리라 악에게 지지 말고 선으로 악을 이기라 로마서 12:19-21

화평하게 하는 자는 복이 있나니 그들이 하나님의 아들이라 일컬음을 받을 것임이요 마태복음 5:9

일본 땅에 강력한 쓰나미로 원자력발전소가 붕괴 되었다. 그리고 가장 많은 피해를 입은 마을 사람들은 일본 정부조차 버린 사람들이 되었다. 그들에게 한국이 먼저 손을 내밀며 용서하고 사랑한다며 손을 내민다면 일본은 깨어날 것이다.

일본 땅에는 떠난 선교사와 남은 선교사, 이렇게 두 부류의 선교사만 있다고 한다. 떠나야 할 이유가 100가지인 그 땅. 그래서 남아야 하는 그 땅.
그 곳의 중심에 하나님의 마음이 있는 것이다.

화목케 하는 자의 삶, 그것이 마지막 성도의 삶이다.

통일한국과 아나톨레의 길

이스라엘의 헬몬산에서 동쪽을 향하여 이동하면 터키의 아라랏산을 만나
게 된다. 계속해서 동쪽으로 전진하면 중국의 태산을 만나게 되고 계속해
서 동쪽으로 이동하면 백두산을 만나게 된다. 이 길은 예루살렘에서 동쪽
으로 이동했던 아나톨레의 길(동방의 길)이다. 그런데 다시오실 주의 길을 준
비하는 그 동쪽의 첫 관문이 바로 한반도의 백두산에서 시작되는 것이다.

통일의 문은 비단 남북한 간의 문제가 아니라 바로 하나님의 역사가 시
작되는 관문이다. 즉 예루살렘을 기점으로 해서 동쪽의 문이며 바로, 다시
오실 예수 그리스도의 길인 아나톨레의 문이다. 동방의 문이다. 이 북한의

문이 열리면 우리는 대륙을 밟고 복음의 깃발을 들어 다시 오실 주의 길을 예비하러 가는 것이다. 이로써 마지막 시대에 복음이 아시아를 덮고 열방 전체로 흘러갈 것이며 이러한 주의 오실 길을 동방에서 예비할 것이다. 이것은 하나님의 놀라운 섭리이다. 주가 오시는 마지막 길, 그 길을 동방에서 부터 예비하는 것이다. 그 문의 첫 관문이 바로 북한의 문인 것이다. 그래서 2012년 이제 하나님은 한반도의 통일의 문을 여실 것이다.

2012년은 한반도의 통일의 문이 열리기 시작하는 중요한 기점이 될 것이다. 그래서 우리는 이제 북한의 문이 열릴 것을 확신하고 구체적으로 그 땅이 열릴 때 어떻게 그 땅을 즉각 복음화 할 것인가 구체적으로 준비해야 하는 시점에 와 있는 것이다. 북한의 문이 열리면 북한의 수많은 지하교회 성도들을 통해 한국 교회의 청년들은 놀라운 왕의 군대로 일어날 것이다. 그리고 일본의 청년들과 손을 잡고 다시 오실 주의 길을 평탄하게 하고자 백두산에서 헬몬산을 향하여 찬송하며 전진할 것이다.

마지막 주자의 삶

우리의 삶은 천성을 향하여 달려가는 경주이다. 수천 년 동안 많은 믿음의 성도들이 자신들에게 허락되어진 천로역정의 구간을 달려왔다. 또한 그들은 영광스러운 마지막 주자가 되길 소망하며 믿음의 계주를 하였다.

그리고 마침내 우리 세대에게 마지막 바톤이 넘겨졌다. 경주에서 가장 영광스러운 순간은 바로 마지막 주자가 결승점에 도달하는 순간이다. 그래서 많은 선수들이 이 마지막 주자가 되길 원한다. 그러나 마지막 주자는 가장 힘 있게 달려갈 수 있는 자여야 한다.

> 우리에게 구름 같이 둘러싼 허다한 증인들이 있으니 모든 무거운 것
> 과 얽매이기 쉬운 죄를 벗어 버리고 인내로써 우리 앞에 당한 경주를
> 하며 믿음의 주요 또 온전하게 하시는 이인 예수를 바라보자
>
> 히브리서 12:1-2

　많은 자들이 세상의 눈으로 이 계주를 바라보며 구경꾼으로 살아가려고 한다. 그러나 믿음의 용사들은 과감하게 일어나 마지막 바톤을 이어받아 힘차게 달려 나가야 한다. 그리고 마침내 우리가 영광스러운 천상의 스타디움에 다다랐을 때, 허다한 믿음의 증인들이 우레와 같은 함성 소리와 함께 마지막 결승점에 도달하는 순간을 축복하고 격려할 것이다.

> 너는 그리스도 예수의 좋은 병사로 나와 함께 고난을 받으라 병사로
> 복무하는 자는 자기 생활에 얽매이는 자가 하나도 없나니 이는 병사
> 로 모집한 자를 기쁘게 하려 함이라　디모데후서 2:3-4

마침내 우리는 영원한 왕이시며, 신랑 되신 예수 그리스도의 품에 안기게 될 것이다.

> 나의 사랑, 내 어여쁜 자야 일어나서 함께 가자　아가서 2:10

2011년 미국 L.A.집회를 마치고 뉴욕으로 가는 비행기 안에서 나는 20여 일 동안의 쉼 없는 강의로 육신이 지쳐 있었다. 그리고 기도하며 "주님, 이 세대 가운데 저희들이 해야 할 일이 무엇입니까, 하나님 나라를 어떻게 준비해야 합니까?"란 무거운 주제를 앉고 몇 달째 씨름하고 있었다. 그리고 잠시 후 내 마음에는 다양한 사람들이 기도하고 있는 모습이 보였다. 그들에게 예수님은 한 조각의 퍼즐들을 나누어 주었다. 많은 사람들이 그 퍼즐을 받고서 기뻐하고 행복해 하였다. 그런데 잠시 후 몇몇 사람들은 예수님께 받은 퍼즐이 마음에 들지 않는지 다시 바닥에 내버렸다. 나는 깜짝 놀라 '아니 어떻게 예수님이 주신 것을 버릴 수 있을까' 의아해 했다. 예수님은 그 떨어진 퍼즐을 다시 주워 아무것도 가진 것이 없어 보이는 누추한 자들에게 한 조각씩 나누어 주었다. 그들은 세상에서 버림받고, 실패하고, 좌절하여 이제 자신의 꿈이 사라져 버린, 그래서 오직 예수님밖에 의지할 것이 없는 자들이었다. 자신들의 꿈이 완전히 사라진 그들에게 예수님의 한

조각 퍼즐은 그들 인생의 모든 것이었다. 그리고 그들은 날마다 기도하며, 자신의 삶 가운데 그 퍼즐이 무엇을 뜻하는지 정확히 알지 못하지만 겸손히 준비하고 있었다. 어느새 때가 되자, 사람들 사이에 막혀있던 안개가 사라졌다. 주변에 퍼즐을 들고 있는 사람들은 서로를 알아보기 시작했고, 자신들의 손에 들린 퍼즐의 모양을 기도하며 맞추기 시작했다. 그러자 어느새 작은 그림 하나가 완성되었다. 예상치 못했고 누구도 계획하지 않았던, 그래서 모두가 하나님이 하셨다고 고백할 수밖에 없는 작은 하나님 나라가 완성되었다. 그들은 기뻐하며 찬양했다. 잠시 후 다른 쪽에서도 퍼즐을 갖고 있는 자들이 찾아왔다. 점점 더 큰 하나님 나라가 완성 되었다. 어느새 큰 하나님 나라가 준비되고 있었다. 그렇다. 이 마지막 시대에 하나님 나라는 성령님이 운행하시는 전쟁이다. 우리는 그저 삶 가운데 나의 생각을 내려놓고 성령님과 동행하며 주님 안에 거하고 있으면, 때가 되면 주님께서 모든 것을 하시는 것이다. 오직 여호와의 장막에 머무는 것이 복되고 복된 삶이다.

우리는 하나의 퍼즐 조각이다. 그래서 어느 누구도 온전히 하나님 나라를 알 수는 없다. 하지만 분명한 것은 주께서 주신 각각의 퍼즐을 성령의 인도하심 가운데 겸손하게 준비하고 있을 때 성령의 동행하심으로 완벽한 그 분의 시간에 가장 아름다운 작품, 그리스도의 신부로 완성될 줄 믿는다. 우리의 생각, 우리의 경험, 우리의 DNA가 원하는 것이 아닌, 성령께서 하시는 그 새 일을 감당할 하나님 나라 군대가 온 열방에서 일어나 주님이 그토록 원하셨던 하나님 나라가 이 땅 가운데 회복될 줄 믿는다.

하나의 세계시민, 하나의 종교, 하나의 화폐로 모든 것이 단일화 되는 과정에서 짐승의 표는 우리의 일상 가운데 너무나도 자연스럽게 등장 할 것이고 많은 교회는 짐승의 표가 구원과 관계없는 사회 발전의 산물이라며 배도의 길을 가게 될 것이다. 세계통합의 새로운 리더는 평화라는 거짓된 이름과 경제 발전을 위한 장밋빛 청사진을 내보이며 강력하게 전 세계를 하나의 질서로 통합해 나가려 한다. 모든 것은 성경대로 이루어져 가는 것이다. 온 인류는 그가 진정한 평화를 가져다 줄 것이라고 믿지만 그는 평화의 이름을 가장한 사단의 아들이다. 진정한 평화는 이 모든 것을 심판하시고 하나님 나라의 위대한 왕으로 오실 예수 그리스도가 재림하실 때 그 분의 나라에서 하나님의 백성들이 경험할 수 있는 것이다. 이 모든 것이 심판의 때로 보이지만 이것은 믿음의 눈으로 볼 때 회복의 시즌인 것이다.

우리는 한편에서 일어나는 강력한 흑암의 역사와 다른 한편에서의 강력한 회복의 역사가 공존하고 있는 시대를 살아가고 있다. 환란과 부흥의 시대를 동시에 바라보고 있는 것이다. 이 일을 위해 마지막 시대의 마지막 성도는 영원한 하나님 나라를 위해 강력하게 중보하고 모든 자원을 집중하여 하나님 나라의 회복을 위하여 하나님 나라의 군대가 일어나도록 투자해야 한다. 이 모든 것이 우리 세대에 완성 될 것이다. 회복의 바람을 타고 영원한 하나님의 말씀이 인류 역사 가운데 완벽하게 성취 될 것이다. 역사상 가장 위대한 부흥의 때가 다가오고 있는 것이다.

마지막 때 하나님 나라 군대가 가질 가장 강력한 무기는 하나님의 말씀이다. 그 말씀이 머리에서 마음으로 내려가 삶을 통해 심장에 새겨진 뒤 다시 그의 입을 통해 나올 때 그 말씀은 사단의 정수리를 쪼개는 빛의 검이 될 것이다.

주의 권능의 날에 주의 백성이 거룩한 옷을 입고 즐거이 헌신하니
새벽 이슬 같은 주의 청년들이 주께 나오는도다 시편 110:3

274

1부 세계정부(New World Order)

1 Alex Jones, 『The Obama deception』 New York, Nomadbooks, pp. 178

2 http://blog.daum.net/dfgiyo/6071765, www.rt.com

3 요코야마 산시로, 『슈퍼리치 패밀리』, 한국경제신문, 2011, p. 224.

4 이리유카바 최, 『시온의 칙훈서』, 해냄, 2009, p. 291.

5 시온의 의정서 전문을 자세하게 알기 원하는 독자는 이리유카바 최, 『시온의 칙훈서』, 해냄, 2009를 참고하기 바랍니다.

6 이리유카바 최, 『시온의 칙훈서』, 해냄, 2009, pp. 172~173.

7 ibid.

8 ibid., p.174.

9 ibid., p.175.

10 ibid., p.176.

11 ibid., p.177.

12 ibid.

13 ibid., p.179.

14 ibid.

15 ibid., p.186.

16 ibid., p.187.

17 ibid.

18 ibid., p.190.

19 ibid., p.192.

20 ibid.

21 ibid., p.193.

22 ibid., p.195.

23 ibid.

24 ibid., p.214.

25 ibid.

26 ibid., p.226.

27 ibid., p.229.

28 ibid., p.223.

29 ibid., p.235.

30 ibid., p.250.

31 박재선,『세계를 지배하는 유대인 파워』, 해누리, 2011, pp. 333~334.

32 ibid., p.335.

33 슝홍빙,『화폐전쟁2』, 랜덤하우스, 2010, p.26.

34 요코야마 산시로, 『슈퍼리치 패밀리』, 한국경제신문, 2011, p.23.

35 ibid., p.196.

36 조병호, 『성경과 5대제국』, 통독원 , 2011, p.19.

37 김성일,『문화전쟁의 시대』, 신앙계, 2010, p.69.

38 ibid., p.325.

49 고명섭기자, 『한겨레신문』 2007. 8. 3.

40 김승섭기자, 『아시아투데이』, http://www.asiatoday.co.kr/news/view.
   asp?seq=336497

41 http://blog.naver.com/insightplus?Redirect=Log&logNo=70054152677

2부 세계정부를 만들어 가는 사람들

1 소시에떼 르 니켈 Societe Le Nickel(SLN) 니켈생산 유통 세계1위 기업

2 김태완, 『한국경제신문』, 2005. 6. 13.

3 「문어발 제국 로스차일드(The Rothschild Octopus)」, http:// blog.daum.net/hitto/175

4 요코야마 산시로, 『슈퍼리치 패밀리』, 한국경제신문, 2011, p.68.

5 「美 Y세대, 일할 권리와 정의를 외치다… 시위 70여 곳으로 확대」『국민일보』, 2011. 10. 4.

6 데릭 윌슨 ,『로스차일드 가난한 아빠 부자아들 1』, 동서문화사, 2002, p.28.

7 ibid., p.29.

8 김성일 ,『문화전쟁의 시대』 , 신앙계, 2010, p.261.

9 박재선,『세계를 지배하는 유대인 파워』, 해누리, 2011, p.350.

10 장화진,『신세계질서의 비밀』, 터치북스, 2011, p.122.

11 박재선,『세계를 지배하는 유대인 파워』, 해누리, 2011, p.351.

12 앤드류 히치콕,『사탄의 시나고그 : 유대 패권의 비밀사』

13 박재선,『세계를 지배하는 유대인 파워』, 해누리, 2011, p.348.

14 데릭 윌슨 ,『로스차일드 가난한 아빠 부자아들 1』, 동서문화사, 2002, p.121.

15 요코야마 산시로, 『슈퍼리치 패밀리』, 한국경제신문, 2011, p.164.

16 박재선,『세계를 지배하는 유대인 파워』, 해누리, 2011, p.339.

17 요코야마 산시로, 『슈퍼리치 패밀리』, 한국경제신문, 2011, p.101.

18 http://blog.naver.com/miavenus/70117291502

19 요코야마 산시로, 『슈퍼리치 패밀리』, 한국경제신문, 2011, p.164.

20 http://www.chathamhouse.org/

21 기쿠카와 세이지,『세계금융을 움직이는 어둠의 세력 1』, 스펙트럼북스, 2010, p.179.

22 ibid., p.181.

23 요코야마 산시로, 『슈퍼리치 패밀리』, 한국경제신문, 2011, p.203.

24 i bid., p.204

25 i bid., p.17.

26 http://blog.daum.net/j73lp7d3td/24

27 기쿠카와 세이지,『세계금융을 움직이는 어둠의 세력 1』, 스펙트럼북스, 2010, p.167.

28 ibid., p.54.

29 ibid., p.34.

30 ibid.

31 요코야마 산시로, 『슈퍼리치 패밀리』, 한국경제신문, 2011, p.204.

32 임종태, 『경제묵시록』, 다른우리, 2009, p.58.

33 요코야마 산시로, op. cit., p.204.

34 ibid., p.205.

35 기쿠카와 세이지,『세계금융을 움직이는 어둠의 세력1』, 스펙트럼북스, 2010, p.115.

36 요코야마 산시로, 『슈퍼리치 패밀리』, 한국경제신문, 2011, p.137.

37 ibid., p.138.

38 기쿠카와 세이지,『세계금융을 움직이는 어둠의 세력 1』, 스펙트럼북스, 2010, p.178.

39 1998년 유럽중앙은행ECB는 로스차일드 가문의 발상지 프랑크푸르트에 설립되었다.

40 요코야마 산시로,『슈퍼리치 패밀리』,한국경제신문, 2011, p.198.

41 ibid., p.203.

42 임종태,『경제묵시록』, 다른우리, 2009, p.23.

43 ibid., p.24.

44 ibid., p.26.

45 ibid., p.27.

46 요코야마 산시로,『슈퍼리치 패밀리』, 한국경제신문, 2011, p.198.

47 ibid., p.202.

48 쑹훙빙,『화폐전쟁2』, 랜덤하우스, 2010, PP.150~154.

49 http://www.aspire7.net/english/dark_9.html

50 기쿠카와 세이지,『세계금융을 움직이는 어둠의 세력 1』, 스펙트럼북스, 2010, p.98.

51 스메들리 버틀러,「전쟁은 사기다(War is a racket)」

52 기쿠카와 세이지, op. cit., p.56.

53 http://www.aspire7.net/english/dark_9.html

54 기쿠카와 세이지, op. cit., p.102.

55 ibid., p.103.

56 http://www.aspire7.net/english/dark_9.html

57 임종태,『경제묵시록』, 다른우리, 2009, p.58.

58 ibid., p.62.

59 요코야마 산시로,『슈퍼리치 패밀리』, 한국경제신문, 2011, p.165.

60 ibid., p.166.

61 박봉권·김규식·이덕주,『다보스 리포트』, 바우나무, 2009, p.19.

62 요코야마 산시로,『슈퍼리치 패밀리』, 한국경제신문, 2011, p.226.

63 김필재,『프리존 뉴스』, 2008. 1. 6.

64 박재선,『세계를 지배하는 유대인 파워』, 해누리, 2011, p.379.

65 데이비드 차,『마지막 신호』, 예영커뮤니케이션 , 2011, p.63.

66 김필재,『프리존 뉴스』, 2008. 1. 6.

67 ibid.

68 알렉스 존스, 『오바마의 속임수』, 노마드북스, 2010, p.108.

69 기쿠카와 세이지,『세계금융을 움직이는 어둠의 세력 1』, 스펙트럼북스, 2010, p.60.

70 요코야마 산시로, 『슈퍼리치 패밀리』, 한국경제신문, 2011, p.226.

71 네이버 백과사전

72 김성일,『문화전쟁의 시대』, 신앙계, 2010, p.20.

73 ibid., p.26.

74 ibid., p.29.

75 신규인, 『마지막 영웅』 예영커뮤니케이션, 2009

76 신규인, 『마지막 영웅』 예영커뮤니케이션, 2009

77 김성일,『문화전쟁의 시대』, 신앙계, 2010, p.30.

78 ibid., p.75.

79 장화진 ,『 신세계질서의 비밀 』, 터치북스, 2011, p.113.

80 신규인, 『마지막 영웅』 예영커뮤니케이션, 2009

81 www.starnews.com 2009년 6월 25 기사

82 기쿠카와 세이지,『세계금융을 움직이는 어둠의 세력』, 스펙트럼북스, 2010, p.155.

3부 마지막 성도

1 최바울, 『세계영적도해 별쇄본』, 펴내기, p.88.

2 임종태, 『경제묵시록』, 다른우리, p.98.

3 Arthur Koestle, 『열 세 번째 지파, *The Thirteenth Tribe*』, 에스라하우스 출판부,
   2010, p.12.

4 '클레멘트 1서'는 최초의 사도교부라 일컫는 로마의 감독 클레멘트(Clement of Rome)
   가 기록한 편지로 A.D. 95- 96년경 로마의 감독이었던 클레멘트(Clement of Rome,
   A.D. 30- 100년)에 의해 작성되었다.

5 김민석,『헤브리스파이 2』, 버드나무, 2010, p.66.

6 ibid., p.67.

7 김민석, 『헤븐리스파이 1』, 버드나무, 2010, p.191.

8 김민석, 『헤븐리스파이 2』, 버드나무, 2010, pp.52~53.

9 Pountus 성경에서는 본도로 표시됨.

10 그래함 쿡, 『거룩한 대면』, 순전한 나드, 2011, p.19.

11 ibid., p.20.

12 ibid.

13 ibid., p.23.

14 ibid.

15 ibid., p.71.

다음 말씀을 찾아보길 바랍니다.

요한계시록 13:1-18	이사야 60:1-3
요한계시록 6:12-17	다니엘 12:1-4
요한계시록 12:1-6	다니엘 12:7, 10-13
요한계시록 1:7-8	마태복음 24:15-31
요한계시록 14:1-5	마가복음 13:14-27
요한계시록 14:9-13	누가복음 21:20-28
요한계시록 15:2-3	데살로니가후서 2:3-4
요한계시록 16:1-11	요한계시록 3:9

"나무 거꾸로 서다"

KAM(Kingdom Army Ministry)은 세상에
깊이 뿌리 내린 나무가 예수 그리스도의 심장으로
새롭게 심겨져 모든 열방 가운데 성령의 열매를
맺기를 소망합니다.

땅 위에 세 그루의 나무가 있었는데

그러나 세 번째 나무는 완전히 뽑혀서

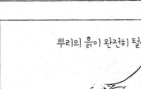

하늘에서 큰 손이 나타나
첫 번째 나무를 잡았습니다.

뿌리의 흙이 완전히 털어진 후에

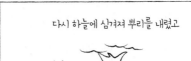

그러나 그 나무는 꿈쩍도 안했습니다.

다시 하늘에 심겨져 뿌리를 내렸고

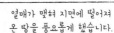

두 번째 나무는 뽑히는 듯 했지만

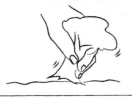

열매가 맺혀 지면에 떨어져
온 땅을 풍요롭게 했습니다.

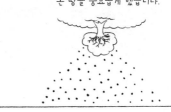

하나의 뿌리만은 고집스럽게
빠져나오지 않았습니다.

이 마지막 때에 우리는
어떤 나무로 서야 할까요?